MONSTER HIGH

Du même auteur, chez Castelmore :

Monster High :
1. *Monster High*
2. *RADicalement vôtre*

www.castelmore.fr

RADicalement vôtre

TOME 2

Lisi Harrison

Traduit de l'anglais (États-Unis)
par Paola Appelius

CASTELMORE

Titre original : *Monster High : The Ghoul Next Door*
Monster High ainsi que les marques et les logos afférents appartiennent à Mattel, Inc. et sont utilisés sous licence. © 2011 Mattel, Inc. Tous droits réservés.

© Bragelonne 2011, pour la présente traduction

Loi n° 49-956 du 16 juillet 1949 sur les publications destinées à la jeunesse

Design de couverture :
Ben Mautner – © 2011 Mattel, Inc.

Dépôt légal : juin 2011

ISBN : 978-2-36231-019-5

CASTELMORE
60-62, rue d'Hauteville – 75010 Paris
E-mail : info@castelmore.fr
Site Internet : www.castelmore.fr

Pour Mer Mer et notre NTF

SOMMAIRE

Chapitre 1 : *Pharaon a toujours raison* ◦ 11

Chapitre 2 : *Pile-poil* ◦ 33

Chapitre 3 : *À fond les boulons* ◦ 53

Chapitre 4 : *Visiteur du soir, espoir* ◦ 61

Chapitre 5 : *Serpent d'amour* ◦ 69

Chapitre 6 : *Une NUDIste chez les RAD* ◦ 83

Chapitre 7 : *Tombé du ciel* ◦ 107

Chapitre 8 : *Amie ou ennemie ?* ◦ 118

Chapitre 9 : *Au pays de Candi* ◦ 130

Chapitre 10 : *Belle à faire peur* ◦ 142

Chapitre 11 : *Mélodie en sous-sol* ◦ 155

Chapitre 12 : *Momie soit qui mal y pense* ◦ 166

Chapitre perdu : *(dont nous oublierons le numéro porte-malheur)* ◦ 179

Chapitre 14 : *Un garçon effacé* ◦ 180

Chapitre 15 : *Normie tender, normie sweet* ◦ 182

Chapitre 16 : *La reine se meurt* ◦ 194

Chapitre 17 : *RADicalement vôtre* ◦ 206

Chapitre 18 : *L'espionne qui venait du Râ* ◦ 218

Chapitre 19 : *Chaud et froid* ◦ 232

Chapitre 20 : *Le boulet et le canon* ◦ 248

Chapitre 21 : *Démission accomplie* ◦ 253

Chapitre 22 : *Le retour de la momie* ◦ 266

Chapitre 23 : *Les RAD quittent le navire* ◦ 277

Chapitre 24 : *Le chant des sirènes* ◦ 290

Chapitre 25 : *Sauvée par le gang* ◦ 295

Chapitre 26 : *Anxio-gènes* ◦ 315

CHAPITRE 1

PHARAON A
TOUJOURS RAISON

L'air imprégné de vapeurs d'ambre vibrait de stress, crépitait d'impatience, pétillait d'effervescence. Pourtant, Cléo se refusait à rester tranquille tant que le palais de Nile ne serait pas digne d'un roi, et le personnel commençait à trouver qu'elle était une vraie plaie… d'Égypte.

— C'est mieux comme ça ? demanda Hasina en relevant le coin gauche de la banderole en papyrus que Cléo leur avait ordonné, à elle et à son mari Beb, de venir accrocher au mur.

Cléo pencha la tête sur le côté et recula de trois pas pour modifier son angle de vue. Le bruit de la pluie qui tombait à verse étouffait le claquement caverneux de ses spartiates compensées sur le sol de pierre. Un temps idéal pour louer un film, se blottir dans les bras de son petit ami et…

STOP! Cléo éjecta l'image de cocooning qui se formait dans son esprit. Deuce n'était plus le bienvenu dans ses pensées, *ni* dans sa salle de projection. Plus depuis qu'il avait invité Mélodie Carver au bal de rentrée la veille au soir. De plus, elle devait rester concentrée. Elle aurait tout le temps de songer à sa vengeance plus tard.

Les pouces tendus l'un contre l'autre, Cléo allongea les bras devant elle comme un réalisateur de cinéma cherchant l'angle idéal pour une prise de vue.

—Hum…

Ses mains couleur café au lait formaient un cadre à l'intérieur duquel elle examina minutieusement la dernière position de la banderole. Il était essentiel qu'elle puisse avoir le même point de vue que son public, car ce dernier ne se satisfaisait que de la perfection et rentrerait chez lui dans… Cléo jeta un coup d'œil au cadran solaire sculpté disposé au centre de l'immense salle. *Argh!* Ce cadran était parfaitement inutilisable de nuit.

—Décompte horaire! ordonna-t-elle.

Beb sortit un iPhone de sa tunique de lin blanc.

—Sept minutes.

Bonté divine!

Elle aurait eu tellement plus vite fait de taper son message en corps soixante-douze sur son ordinateur et de le sortir sur son imprimante laser. Mais son père était allergique à la technologie. Pour ce qui concernait les notes, listes, cartes d'anniversaire et autres, c'étaient les hiéroglyphes ou rien.

Ramsès de Nile – ou Ram, comme l'appelaient les Occidentaux – tenait absolument à ce que tout ce qui était rédigé sous son toit fasse honneur à leur héritage égyptien et soit composé dans les caractères des anciennes écritures... et chacun exigeait vingt bonnes minutes pour atteindre la perfection. C'était pour cette raison que la banderole de Cléo affichait seulement : « Bienvenue à la maison » et pas : « Bienvenue à la maison, papa ». *Pour l'amour de Geb! qui avait autant de temps à perdre de nos jours?*

Par chance, cette corvée domestique n'était pas venue empiéter sur ses plans habituels du samedi après-midi avec Clawdeen, Lala et Lagoona, étant donné que les trois B – Bronzette, Bichonnage et Boutiques – n'étaient plus d'actualité. Pas de bain de soleil dans le solarium à cause de l'orage. Quant aux deux autres B, il n'en était même plus question tant que se montrer en public présentait un risque pour leur sécurité.

Merci, Frankie Stein!

Depuis le fameux bal de rentrée de Merston High la veille au soir (oui, celui où Deuce avait invité Mélodie Carver!), la police de Salem recherchait un « monstre vert » (*Frankie!*) qui avait perdu la tête au sens propre, au cours d'une séance intensive de roulage de pelle et de pelotage avec Brett Redding. La communauté des RAD (Résistants à l'Apparence Dominante) avait alors décidé qu'il valait mieux que *tous* leurs enfants *sans exception* restent chez eux, par précaution.

Encore heureux que son père, un éminent négociant d'antiquités, se soit trouvé sur un site de fouilles archéologiques lorsque le drame avait eu lieu. C'était déjà en temps normal un homme très protecteur qui la surveillait de près. Que se passerait-il s'il apprenait que Cléo avait approuvé les plans de Frankie ? Qu'elle s'était elle-même rendue au bal costumé du lycée sur le thème des monstres déguisée en momie – ou plus précisément *sans* déguisement ? Que Lagoona avait exhibé ses écailles brillantes de monstre marin ? Que Lala avait souri de tous ses crocs de vampire ? Que Clawdeen avait exposé sa fourrure de loup-garou ? Tout cela dans l'intention de montrer aux normies qu'ils n'avaient rien à craindre des « bizarreries » des RAD, mais devaient au contraire s'en réjouir. Cléo frémit à cette pensée. Si Ram apprenait seulement *la moitié* de tout ça, il l'enfermerait à double tour dans une crypte et la garderait au frais jusqu'en 2200.

— C'est bon ? articula Beb entre ses dents, dont la couleur ivoire tranchait tout particulièrement sur sa peau olivâtre.

Était-ce un effet de l'imagination de Cléo ou est-ce que le coin gauche supérieur de la banderole n'était *toujours pas* droit ? Sa poitrine se souleva comme celle d'un macchabée à l'étroit dans ses bandelettes. Elle voulait en finir. Il *fallait* en finir. Restaient encore le vin à verser dans les coupes, les amuse-gueules à disposer sur les plateaux et la playlist de musique traditionnelle égyptienne à caler. Si elle ne libérait pas les serviteurs, tout cela ne serait jamais prêt à temps. Bien sûr, Cléo aurait pu les aider, mais elle aurait préféré se faire couper un bras plutôt que de mettre la main à la pâte. Après tout, comme disait toujours son père : « Il y a les décideurs et les exécutants. Toi, ma princesse, tu es trop précieuse pour être l'un ou l'autre. » Ce à quoi Cléo adhérait sans réserve. Mais rien ne l'empêchait de jouer les superviseurs.

—Un peu plus haut à gauche.

—Mais…, commença Beb, avant de se raviser.

Il préféra activer l'application Niveau à bulle de son iPhone, qu'il positionna en mode paysage. Il attendit patiemment que la bulle virtuelle se stabilise, ses lèvres chocolat marmonnant des imprécations à l'intention de l'écran qui allait sceller son destin.

—Ça me semble parfait, déclara Hasina, en équilibre sur le bras recouvert de feuilles d'or d'un trône pharaonique de l'Égypte antique. Beb s'y connaît bien pour ce qui est des mesures, habituellement.

Elle ouvrit tout grands ses yeux noirs surlignés de khôl pour appuyer ses dires.

La femme marquait un point.

Seize ans auparavant, Ram avait chargé Beb de lui construire une demeure alliant le luxe ostentatoire qu'appréciaient les Occidentaux et le raffinement d'un palais royal oriental à l'égyptienne. Quelques mois plus tard, le 32, Radcliffe Way sortait de terre, doté de toutes les qualités requises.

La façade de plusieurs étages peinte en blanc et gris tourterelle offrait de l'extérieur l'aspect impressionnant des bâtisses surdimensionnées qu'aiment à s'offrir les nouveaux riches dans les banlieues américaines. La porte d'entrée s'ouvrait sur un vestibule lambrissé aux murs beiges, à l'éclairage indirect et d'un *ennui* mortel. C'était le seul moyen qu'avait trouvé la famille de Nile pour écarter les soupçons des livreurs de pizzas et des scouts trop curieux qui venaient vendre leurs cookies. À l'autre bout de ce faux vestibule se trouvait une seconde porte qui permettait d'accéder à leur véritable foyer, dont le style basculait dans un faste pharaonique.

La pièce principale, haute de trois étages, était coiffée d'une vaste pyramide de verre. Lorsqu'il ne pleuvait pas, la lumière naturelle ruisselait à l'intérieur de l'édifice comme du beurre fondu sur une pita brûlante. Lorsqu'il pleuvait, ce qui était le cas, le clapotis rythmique berçait les habitants, semblable à une musique d'ambiance symphonique. Les murs de pierre lisse étaient peints de hiéroglyphes aux couleurs vives. Des jarres d'albâtre arboraient des reliefs représentant les lieux de sépulture de leurs ancêtres. Une rivière creusée par Beb et remplie d'eau du Nil distribuait toutes les pièces du palais en serpentant. Pour les grandes occasions, Hasina y disposait des photophores scintillants. En temps normal, ses eaux étaient parsemées de lotus bleus d'Égypte. Ce jour-là, la rivière arborait fièrement les deux.

—Cinq minutes, annonça Beb.

—Accrochez-la comme ça! décida Cléo en tapant brusquement dans ses mains. (Chisisi, le plus peureux des sept chats de la maison, fila se cacher à l'abri de l'immense palmier dattier planté au milieu de la pièce.) Pardon, Chi, roucoula Cléo. Je ne voulais pas t'effrayer.

Un doux carillon résonna dans la vaste salle. Ce n'était pas Cléo qui avait effrayé Chisisi finalement. C'était…

—Il est rentré! s'écria Hasina en reconnaissant la silhouette impeccable de son patron sur l'écran de contrôle près de la véritable porte d'entrée.

—Dépêchez-vous! aboya Cléo.

Hasina appuya frénétiquement le coin de la banderole qu'elle tenait contre la colonne en espérant qu'elle tiendrait et jeta un coup d'œil à son mari pour le presser d'en faire autant. Trop tard.

—Monsieur!

Les joues sombres d'Hasina s'empourprèrent et prirent la couleur des prunes trop mûres. Elle descendit prestement de l'accoudoir du trône d'or et épousseta précipitamment les empreintes qu'auraient pu y laisser ses spartiates. Sans un mot, elle s'éclipsa en compagnie de son mari en direction des cuisines. Quelques secondes plus tard, des trilles haut perchés jaillirent des haut-parleurs incorporés dans les murs. Le palais se mit à vibrer au son du *Ya Helilah Ya Helilah*, de Sharkiat, dont l'amplitude vocale rappelait Mariah Carey avec le timbre d'Alvin et les Chipmunks.

— Papa! s'exclama Cléo d'une voix suraiguë, à la fois sucrée et onctueuse, tel un M&M's qui aurait fondu. Bienvenue à la maison! Comment s'est passé ton voyage? Aimes-tu ma banderole? C'est moi qui l'ai faite!

Elle se tenait debout, fière et altière, entre les deux colonnes, attendant sa réponse. En dépit de la maturité de ses quinze printemps (due en grande partie à la momification), elle demeurait avide d'obtenir l'approbation paternelle. Ce qui était parfois plus difficile que de retrouver des faux cils dans une tempête de sable.

Mais pas ce soir. Ce soir, Ram écarta Manu, son assistant, pour se diriger vers sa fille, les bras ouverts tout grands, aussi grands que l'amour qu'il lui portait.

— Monsieur! interjeta Manu, sa voix suave teintée de sollicitude. Votre manteau!

— Ma princesse! l'accueillit Ram en attirant sa fille contre son imperméable noir détrempé pour la serrer contre son cœur.

La pluie tombant à flots n'avait pas éliminé les relents confinés du vol international et du trajet dans la Bentley avec chauffeur emplie de fumée de cigare, ni l'odeur musquée et entêtante de sa peau. Mais Cléo s'en moquait. Il aurait pu empester la litière des chats après avoir bu l'eau du Nil qu'elle ne se serait pas écartée de lui.

La prenant par les épaules, il la tint à bout de bras pour l'étudier minutieusement. L'intensité de son examen la mit mal à l'aise.

Ma robe bandage Hervé Léger est trop serrée ? Mon trait d'eye-liner violet trop épais ? Mon mascara scintillant trop criard ? Les étoiles de henné sur mes joues trop petites ?

— Qu'est-ce qu'il y a ? demanda Cléo avec un gloussement nerveux.

— Tu vas bien ?

Il soupira, exhalant le doux parfum du tabac. Une lueur inhabituelle brillait dans ses yeux sombres en forme d'amande. Un éclat tendre, inquiet, presque effrayé. Chez la plupart des gens, un tel regard exprimait l'anxiété. Mais cette émotion semblait étrangère à son père. Comme un sentiment enfoui qu'il aurait exhumé au cours de ses fouilles archéologiques.

— Bien sûr que je vais bien. Pourquoi ? lui répondit Cléo avec un grand sourire.

Le son caressant d'une cloche résonna depuis la « galerie dînatoriale ». Les amuse-gueules étaient servis. Chisisi émergea du palmier dattier. Bastet, Akins, Ébène, Ufa, Usi et Miu-Miu sortirent de sous la couche où ils étaient cachés pour se diriger à pas de velours vers le généreux festin. Le sourire de Cléo s'élargit comme elle goûtait la familiarité de la scène. Mais pas celui de Ram. L'inquiétude durcissait ses traits comme un masque d'argile de la mer Morte.

— On ne parle que de ça. (Il se massa les tempes, ses cheveux poivre et sel plus blancs que d'habitude.) À quoi songeait cette Frankie ? Comment les Stein ont-ils pu laisser une telle chose se produire ? C'est toute notre communauté qu'ils ont mise en danger.

—Tu es déjà au courant? s'étonna Cléo.

Mais ce qui l'intéressait réellement, c'était ce qu'il savait exactement.

Ram sortit de sa poche intérieure un exemplaire roulé des *Nouvelles de Salem* qu'il fit claquer contre sa paume, mettant brutalement fin à leur moment de tendresse.

—Viktor aurait-il oublié de doter sa fille d'un cerveau? Sur la vie de Geb! je ne vois pas comment…

La cloche appelant aux agapes retentit de nouveau.

Cléo éprouva soudain une envie pressante de prendre la défense de Frankie. Ou ces velléités exprimaient-elles le besoin de se défendre elle-même?

—Ce n'est pas comme si tout le monde savait qui elle est. Elle porte toujours son maquillage de normie au lycée, et personne ne l'a reconnue. Elle a peut-être juste voulu prendre le *ka* par les cornes, suggéra Cléo en se balançant sur ses spartiates compensées avec nervosité. Tu sais, pour faire changer les choses.

—Que veut-elle changer? Elle a été créée il y a seulement un mois. De quel droit voudrait-elle changer quoi que ce soit? demanda-t-il en levant les yeux vers la banderole de bienvenue.

Enfin! Mais ses traits découpés à la serpe ne montrèrent aucun signe d'appréciation. *Comment en sais-tu aussi long à propos de Frankie?* ne put s'empêcher de se demander Cléo. Parce que, vraiment! les parents de certaines de ses amies ne s'aventuraient jamais plus loin que San Francisco, et, pour autant, ils ignoraient tout des fêtes et des soirées qui se déroulaient en leur absence. Alors que son père partait exhumer des artefacts à l'autre bout de la planète et revenait de voyage comme s'il avait reçu plus d'appels qu'une station de radio organisant un jeu-concours pour faire gagner des tickets de concert. C'était totalement *ka*!

—Qu'est-ce qui cloche avec votre génération? poursuivit-il, sans prêter attention à son étonnement. Vous n'avez aucune reconnaissance pour le passé. Aucun respect des traditions et de votre héritage. Tout ce qui vous intéresse, c'est de…

—Monsieur? l'interrompit Manu, son crâne chauve luisant de gouttes de pluie. (Il serrait la poignée d'une mallette d'aluminium avec une telle intensité que ses jointures chocolat avaient viré au gris.) Où dois-je déposer cela?

Ram caressa le chaume qui assombrissait ses joues après une journée de voyage pour se donner le temps de la réflexion. Au bout de quelques instants, il leva les yeux vers Cléo et fit un signe en direction de l'immense double porte de l'autre côté de la salle. Agrippant fermement le coude de sa fille, il lui fit traverser le spacieux vestibule d'une démarche étudiée et gracieuse afin de pénétrer dans la salle du trône.

Une famille de faucons prit son envol en direction du grand palmier. Le bruit des ailes aiguës des oiseaux battant l'air résonna à travers le palais tel celui de drapeaux claquant au vent.

Les murs de cuivre martelé éclairés par des lampes à huile d'albâtre diffusaient un doux éclat ambré. Une natte d'osier, polie par les pieds nus de leurs ancêtres depuis des millénaires, permettait d'accéder à l'estrade sur laquelle étaient disposés leurs trônes. Cléo se glissa sur le sien, prenant possession du coussin de velours pourpre, et laissa reposer ses paumes à plat sur les accoudoirs couverts de feuilles d'or incrustées de joyaux. Instinctivement, elle releva le menton et laissa tomber ses paupières. Derrière ses yeux mi-clos, sa vision était légèrement floutée, et le monde qui l'entourait lui parvenait comme à travers un kaléidoscope. Tout à coup, elle était une reine qui prenait possession de son domaine, délicatement et par petites touches au lieu de l'absorber d'un seul coup : le noir et l'émeraude du scarabée suspendu au-dessus de l'entrée… les joncs bordant les rives du Nil sinueux… les deux sarcophages d'ébène qui encadraient la porte.

Les couleurs et les formes, les odeurs et les sons de son royaume effacèrent la tension des derniers jours et l'emplirent d'un sentiment de sécurité, surtout maintenant que son souverain était rentré chez lui. Elle respirait plus facilement, et une impression de justesse lui picota la peau. Comme c'était bon de se sentir reine.

Une fois qu'ils furent installés, Manu déposa doucement la mallette sur la table de cuivre entre leurs trônes avant de reculer d'un pas, attendant les instructions.

Ouvre-la, lui intima Ram d'un simple geste du poignet.

Manu déverrouilla la serrure, souleva le couvercle tapissé de velours et fit de nouveau un pas en arrière.

—Regarde, dit Ram. Regarde les merveilles que j'ai trouvées dans le tombeau de tante Néfertiti.

Il fit tourner l'anneau serti d'émeraudes de son pouce avec une tranquille certitude.

Se penchant au-dessus de l'accoudoir, Cléo en eut le souffle coupé. Elle fit aussitôt et mentalement un inventaire du butin qui étincelait de mille feux sous ses yeux.

1. Un collier de lapis-lazuli en forme de faucon dont les ailes déployées avaient été dessinées pour reposer sur les clavicules des femmes les plus en vue de l'Égypte antique ;
2. Des brassards martelés fermés par un œil d'Horus de rubis et d'émeraude ;
3. Une couronne d'or massif en forme de vautour si richement ornée de joyaux scintillants que Cléo pouvait voir ses yeux grands ouverts brillant de convoitise se refléter dans chaque pierre ;
4. Un anneau d'or torsadé enchâssé d'une pierre de lune qui brillait dans le noir de la taille d'une boule de chewing-gum ;
5. Des boucles d'oreilles gouttes d'eau en jade serties dans de l'or fin, à côté desquelles les émeraudes d'Angelina Jolie à la cérémonie des oscars 2009 avaient l'air de vulgaires breloques ;
6. Un collier plastron en or constellé de perles et de plumes de paon ;

7. Un bracelet-serpent aux yeux de rubis qui habillait le bras du poignet au biceps ;

8. Une carte de visite en épais carton blanc négligemment jetée à côté des bijoux du coffret.

—Attends ! (Cléo se pencha en avant pour ramasser la carte.) Qu'est-ce que c'est que ça ? demanda-t-elle, mais sa question était toute rhétorique.

Qui ne l'aurait pas su ? Le logo argenté sur le haut de la carte sautait aux yeux et composait un mot de cinq lettres synonyme de « chance de sa vie ».

—*Oufissime !* murmura-t-elle avec stupeur.

Cléo déchiffra le texte de la carte en tremblant, les innombrables bracelets entassés sur son bras cliquetant en rythme avec la pétulante musique égyptienne.

—Où as-tu trouvé *ça* ?

Regardant toujours devant lui, Ram sourit d'un air suffisant.

—Impressionnant, n'est-ce pas ? Alors, que t'inspire ton passé, à présent ? As-tu seulement la moindre idée de la valeur de ce trésor ? Pas seulement en dollars, mais d'un point de vue historique ? Rien que la bague…

—Papa !

Cléo bondit sur ses pieds. Le trône n'était plus assez grand pour contenir son excitation. Elle frotta son pouce contre les lettres imprimées en relief, une par une : V… O… G… U… E…

—Comment t'es-tu procuré *sa* carte de visite?

Quand Ram se tourna brusquement pour regarder sa fille, la pure déception qui imprégnait ses traits fut exposée brutalement.

—Qu'a-t-elle de tellement spécial, cette Anna Winter? dit-il sèchement en refermant la mallette.

Manu fit un pas en avant pour la reprendre, mais Ram le renvoya d'un geste de la main.

—Win-*tour*, papa, le corrigea Cléo. C'est la rédactrice en chef de *Vogue*. Tu l'as vraiment rencontrée? Tu lui as parlé? Elle portait ses lunettes de soleil? Qu'est-ce qu'elle t'a dit? Raconte-moi tout.

Ram retira finalement son imperméable noir. Manu se précipita pour l'en débarrasser et lui offrit aussitôt un cigare. Comme pour se délecter de l'impatience de sa fille, Ram aspira délibérément plusieurs bouffées avant de lui répondre.

—Elle occupait le siège à côté du mien en première classe sur le vol de retour qui nous a ramenés du Caire à JFK. (Il souffla un nuage de fumée malodorante entre ses lèvres serrées.) Elle avait vu l'article à propos de mes fouilles en première page de *Business Today Egypt* et m'a tenu la jambe pendant tout le vol à propos de son nouveau coup de cœur pour le chic égyptien… quoi qu'elle entende par là. (Il leva les yeux au ciel.) Elle veut y consacrer un numéro spécial.

Depuis sa position derrière le trône, Manu secoua la tête. Il semblait aussi offusqué que Ram.

—Elle a vraiment dit le «chic égyptien»?

Cléo était rayonnante. L'Égypte était enfin en vogue!

—Cette femme a dit beaucoup de choses.

Il frappa deux fois dans ses mains. Beb et Hasina surgirent aussitôt de la cuisine, des plateaux de nourriture en équilibre sur le plat de leurs mains. Bastet, Chisisi, Ébène, Ufa, Usi et Miu-Miu gambadaient derrière eux avec gourmandise.

Cléo se rassit sur son trône.

—Quoi, par exemple? le pressa-t-elle. Qu'est-ce qu'elle a dit d'autre?

—Elle a parlé d'une série de photos pour son magazine destiné aux adolescentes.

Hasina lui présenta un plat de bronze. Ram choisit un triangle de pita qu'il trempa dans un tourbillon de houmous.

—*Quoi?* hoqueta Cléo en repoussant d'un geste le plateau de *sambouseks* à l'agneau et au fromage que lui présentait Beb.

Le seul amuse-gueule qui lui faisait envie en cet instant, c'était l'application *Teen Vogue*, disponible sur iTunes pour 1,99 dollars.

—Elle a parlé de mannequins juchés sur des dromadaires dans les dunes de l'Oregon, parées des bijoux de ma sœur et du *nec plus ultra* en matière de chic égyptien.

Cléo s'agita sur son trône. Elle croisa d'abord la jambe droite sur la gauche, puis l'inverse, secoua la cheville, puis s'immobilisa et tapota des doigts sur le luxueux accoudoir. Elle ne pouvait s'en empêcher, même si son père ne supportait pas les gens qui avaient la bougeotte. Chaque cellule, chaque nerf, chaque muscle, chaque ligament, chaque tendon de son corps la poussait à se précipiter dehors et à grimper sur les murs du palais à la façon de Spider-Man pour crier la bonne nouvelle sur tous les toits. Si seulement elle avait pu sortir sans risque.

Encore merci, Frankie Stein!

— Tout ça, c'est du mercantilisme, si vous me demandez mon avis, marmonna Manu.

Ram approuva de la tête.

Cléo jeta au domestique un regard furieux qui voulait dire: «Tu vas te taire ou je te tartine le crâne de foie d'oie et j'appelle les chats.» Il s'éclaircit la voix et baissa ses yeux ronds, bruns et cristallins.

— Je veux en faire partie! déclara Cléo en battant des cils.

— Faire partie de *quoi*?

Ram écrasa son cigare dans un ramequin de caviar d'aubergine en forme de croix ansée. Hasina fondit sur lui pour retirer le plat.

— Je n'ai pas encore donné mon accord.

— Ce qui n'a pas empêché cette Anna Winter d'organiser la séance photo le temps que l'avion atteigne le tunnel de débarquement après l'atterrissage. Elle a même arrêté une date, ajouta Manu.

— *Quand ça?*

Manu haussa les épaules, comme s'il s'en souciait trop peu pour s'en souvenir.

— Le 14 octobre.

—Je suis entièrement libre ce jour-là.

Cléo bondit sur ses pieds et tapa des mains à toute vitesse.

Son père se retourna et jeta à Manu par-dessus son épaule le même regard menaçant de faire venir les chats sur son crâne dégarni.

—Cette Anna Winter se conduit comme si elle était plus illustre qu'une reine, pour l'amour de Geb! Je refuse de travailler avec…

—Tu n'auras pas à lever le petit doigt. Je me chargerai de tout.

Cléo était tellement surexcitée qu'elle ne prit pas la peine de les reprendre sur la prononciation du nom. Il fallait *absolument* que cette séance photo ait lieu. C'était un signe du destin. Ram dévisagea sa fille, cherchant la réponse adéquate. Malgré son cœur qui cognait comme un sourd dans sa poitrine, Cléo demeura impassible, parfaitement maîtresse d'elle-même.

—Je sais! fit-elle soudain en claquant des doigts comme si elle venait juste d'y penser. Je lui servirai de mannequin. (Elle plongea ses yeux dans ceux de son père.) Comme ça, je pourrais surveiller le processus de A à Z, argumenta-t-elle, sachant exactement comment fonctionnait son père.

Ram avait beau écrire en hiéroglyphes et parler l'égyptien, il pensait comme Donald Trump. Il plaçait l'initiative, la confiance en soi et le micromanagement bien au-dessus de tout ce qu'il pouvait exhumer de ses sites de fouilles. Tandis qu'il faisait tourner l'anneau serti d'émeraudes autour de son pouce, ses yeux en forme d'amande se firent distants et songeurs.

—Je t'en prie, l'implora Cléo en se jetant à genoux.

Elle s'inclina vers le sol jusqu'à ce que son front touche le tapis. Il avait la même odeur sucrée et musquée que son huile capillaire Moroccanoil. *S'il-te-plaît-dis-oui-s'il-te-plaît-dis-oui-s'il-te-plaît-dis-oui…*

—Je ne t'ai pas élevée pour faire de toi un mannequin, dit-il.

Cléo releva les yeux.

—Ça, je le sais, roucoula-t-elle. Tu m'as élevée pour faire de moi une créatrice de bijoux de réputation mondiale.

Il hocha la tête, accréditant le rêve de sa vie, mais il ne voyait toujours pas où elle voulait en venir.

Cléo se redressa sur son trône.

—Quel meilleur moyen de me constituer un carnet d'adresses… (*et puis aussi,* ajouta-t-elle en son for intérieur, *d'impressionner mes amies et de faire regretter à Deuce le jour où il a invité Mélodie au bal.*)… que de travailler avec la rédactrice accessoires de *Teen Vogue*?

—Tu n'as pas besoin de carnet d'adresses, protesta Ram d'un ton froissé. Je peux te faire entrer où tu voudras.

Cléo avait envie de taper du pied dans ses spartiates compensées et de hurler, mais elle se contenta de serrer la main de son père.

—Papa, s'obligea-t-elle à prononcer calmement, je suis la descendante d'une reine. Pas d'une princesse!

—Qu'entends-tu par là? demanda-t-il, ses yeux se réchauffant d'un éclat plus badin.

—J'entends par là que je sais ce que je veux. (Cléo sourit.) Mais qu'on n'est jamais mieux servi que par soi-même.

—Excusez-moi, mademoiselle Cléo, l'interrompit Hasina. Désirez-vous que je fasse couler votre bain?

—À la lavande, s'il te plaît.

La servante opina du chef et se retira avec empressement.

—C'est ce que tu appelles être mieux servie par toi-même? gloussa Ram.

Cléo ne put s'empêcher de sourire.

—Je lui ai demandé de faire couler mon bain, mais pas de le prendre à ma place.

—Oh, je vois! (Il lui rendit son sourire.) Tu voudrais donc que je confirme cette séance photo en exigeant que tu fasses le mannequin, puis que je me retire et te laisse agir à ta guise.

—Exactement.

Cléo déposa un baiser sur le front parfaitement conservé de son père.

Tambourinant des doigts sur ses lèvres serrées, Ram fit mine de considérer une dernière fois la requête de sa fille. Cléo se força à rester immobile.

—C'est peut-être bien précisément ce qu'il faut aux jeunes d'aujourd'hui, dit-il d'un air songeur.

—Hum?

Ce n'était pas vraiment la réponse qu'elle avait escomptée.

—Je parie que si Viktor Stein avait encouragé sa fille à s'impliquer davantage dans des activités extrascolaires, elle ne se serait pas attirée autant d'ennuis.

—Totalement d'accord avec toi. (Cléo approuva si fort de la tête que les mèches de sa frange se soulevèrent.) On n'a pas le temps de s'attirer des ennuis quand on est occupés. En tout cas, c'est valable pour moi.

Le soulagement fut immédiat sur le visage de son père. Il reprit la carte de visite que Cléo tenait toujours entre ses doigts pour la tendre à Manu.

—Appelle cette dame.

Yessss! Ram avait beau se montrer sévère, Cléo l'avait entortillé.

—Merci, papa!

Elle couvrit les joues de son père de baisers glossés parfumés à la groseille. Ce serait son premier pas significatif sur le chemin menant à sa domination du monde de la mode. Les possibilités qui s'ouvraient désormais à elle faisaient bondir son cœur parfaitement conservé à des sommets que la plus haute des banderoles «Bienvenue à la maison» ne pourrait jamais atteindre.

Gare à tes boulons, Frankie Stein. À partir d'aujourd'hui, c'est moi qui ferai les gros titres à Salem.

À : CLAWDEEN, LALA, LAGOONA

26/09, 18h34

CLÉO : ZAPPEZ LE COUVRE-FEU ET VENEZ CHEZ MOI EN DOUCE AU PLUS VITE ! SURPRISE SURPRISE. ^^^^^^^^^^^^ (VOUS KIFFEZ MA NOUVELLE SIGNATURE ? CEST DES PYRAMIDES.)

À : CLAWDEEN, LALA, LAGOONA

26/09, 18h38

CLÉO : VOUS DEVRIEZ VOUS CHOISIR UNE SIGNATURE AUSSI. CLAWDEEN : ##### POUR DES MARQUES DE GRIFFES. LALA : :::::::::: POUR DES MARQUES DE DENTS. LAGOONA : @@@@@@@ POUR LES ÉCAILLES. SINON, ZAVEZ EU MON MESSAGE PRÉCÉDENT ??? VENEZ VITE !

À : CLAWDEEN, LALA, LAGOONA

26/09, 18h46

CLÉO : MANU PEUT VNIR VOUS CHERCHER DANS LA RAVINE SI VOUS FLIPPEZ. FAITES-MOI CONFIANCE. VOUS ALLEZ ADORER. ^^^^^^^^^^^

CHAPITRE 2

PILE-POIL

Un éclair cingla la nuit avec le même claquement qu'un coup de serviette administré par un athlète sur les fesses molles d'un geek. La pluie redoubla d'intensité. Les arbres ondulaient dans le vent en faisant craquer leurs branches. Une meute de loups hurla dans le lointain. La réception de l'image sur l'écran plat de la télé vacilla puis se stabilisa… vacilla de nouveau et se stabilisa… vacilla encore une fois et…

« Ping ! »

Mélodie Carver s'écarta de sa sœur aînée, Candace, pour aller se blottir à l'autre bout du canapé aubergine. Elle appuya sur la touche « play » de son téléphone et se prépara à écouter une nouvelle iMenace.

« Tic-tac… tic-tac… tic-tac… »

Exactement comme les fois précédentes. Le message enregistré par son ex-amie Bekka Madden, qui le lui renvoyait toutes les heures, lui rappelait de façon obsédante que le délai de quarante-huit heures que cette dernière lui avait accordé se réduisait désormais à vingt-trois.

L'objectif de Bekka était simple : elle voulait capturer le monstre vert dont le baiser torride le soir du bal de rentrée au lycée avait laissé son petit ami, Brett, en état de choc. Ou plutôt, elle voulait que Mélodie se charge de capturer la créature pour elle et lui avait donné jusqu'à 22 heures dimanche soir pour s'exécuter, faute de quoi Bekka diffuserait sur Internet une vidéo de Jackson Jekyll se transformant en Holt Hyde. Après cette révélation, il ferait lui aussi les frais d'un « avis de recherche ». Mélodie désirait protéger Jackson avant tout, mais elle avait entre-temps fait la connaissance du fameux « monstre », qui n'était autre que la nouvelle qui lui avait accidentellement envoyé une décharge électrique dans la queue de la cantine le jour de la rentrée. Et, à part ses boulons cervicaux, sa peau verte, ses points de suture et l'électricité dont elle était chargée, Frankie Stein était une fille tout ce qu'il y avait d'ordinaire. Si on faisait abstraction de son maquillage à la truelle et de ses vêtements de nonne, elle était même plutôt jolie.

Un second éclair illumina la ravine derrière la maison des Carver, suivi d'une déflagration.

— Ahhhh ! hurlèrent Candace et Mélodie.

L'image de la télé vacilla puis se stabilisa… vacilla de nouveau et se stabilisa.

— Argh ! On se croirait revenues dix mille ans en arrière ! (Candace bourra de coups de poing un des coussins de velours.) Je me sens dans la peau d'une femme des cavernes.

Le contrecoup dû à la frustration se fraya un chemin jusqu'à l'extrémité du canapé où s'était réfugiée Mélodie.

—Je ne crois pas qu'ils avaient la télévision haute définition à l'époque des hommes des cavernes.

—Suis un peu! la rabroua Candace d'un coup d'orteil pédicuré dans la cuisse. Je ne parle pas de la télé.

—Bon, et de quoi tu parles, alors? demanda Mélodie en rivant son regard sur sa sœur aînée pour la première fois de la soirée.

Vêtue d'un kimono vieux rose, Candace était entourée de bandes de gaze, de bâtonnets d'Esquimaux, de talc et d'un bol contenant ce qui ressemblait à du miel congelé.

—Je parle de ce stupide kit d'épilation à la cire! C'est tellement primitif.

—Depuis quand tu t'épiles toi-même? s'étonna Mélodie en vérifiant son téléphone au cas où des textos ou des tweets lui auraient échappé durant ce bref échange avec sa sœur.

—Depuis que cette lamentable histoire de monstre de la nuit dernière a tellement fait flipper le seul salon d'épilation décent de la ville qu'il a décidé de fermer un samedi. (Candace étala un gros morceau de cire sur son tibia avant d'y apposer une longue bande de tissu blanc.) Et s'il ne rouvre pas bientôt, Salem sera bientôt remplie de monstres pour de bon. (Elle lissa vigoureusement la gaze.) Est-ce que tu as vu les meufs au lycée? Il y en a une à qui j'ai dit que je trouvais hyper rock'n roll ses leggings en mohair, et tu sais ce qu'elle m'a répondu?

Les phares d'une voiture de patrouille balayèrent les rondins des murs du salon des Carver. Les policiers qui cherchaient Frankie Stein étaient aussi acharnés qu'une bande de requins. Mélodie tira sur les cuticules de ses ongles. Combien de temps pourrait-elle encore garder son sang-froid? Une heure? toute la nuit? jusqu'au prochain message audio de Bekka? L'horloge égrenait les secondes et le temps commençait à manquer.

—Mel? (Candace redonna un coup d'orteil à sa sœur.) Tu sais ce qu'elle m'a répondu?

Mélodie haussa les épaules, incapable de détourner son esprit de Jackson et de ce qui l'attendait si elle ne trouvait pas le moyen d'empêcher Bekka de diffuser sa vidéo – sans lui livrer Frankie. Un truc malin et subtil qui…

—«Je n'ai pas de leggings en mohair!», voilà ce qu'elle m'a répondu. (Candace saisit le bord de la bande de gaze imprégnée de cire posée sur son tibia.) Tu sais pourquoi elle m'a dit ça? Parce qu'elle était en minijupe, Melly! En minijupe! Tu te rends compte? C'étaient ses poils, voilà où en était cette pauvre fille! (Elle ferma les yeux et tira d'un coup sec.) Ouille! Les poils, terminé! («Ping!») Quoi encore? demanda Candace en saupoudrant de talc sa peau à vif.

Mélodie regarda son téléphone. C'était Jackson.

JACKSON : TAS VU LE PORTRAIT-ROBOT DE FRANKIE AUX INFOS ?

MÉLODIE : NON. L'ORAGE BROUILLE LA TÉLÉ.

JACKSON : ON DIRAIT YODA EN ROBE DE MARIÉE.

Mélodie pouffa.

— Quoi ? Qu'est-ce qu'il y a de si drôle ? insista Candace en renvoyant ses boucles blondes par-dessus son épaule d'un mouvement de tête comme les mannequins dans les pubs L'Oréal.

— Rien, marmonna Mélodie en évitant le regard vert inquisiteur de sa sœur.

Tenait-elle Candace à l'écart de tout ça pour la protéger ? ou pour se tester elle-même ? pour voir si elle était capable de survivre à cette situation difficile – et peut-être même de la surmonter – sans l'aide de sa frangine si volontaire et si parfaite ? Elle ne le savait pas vraiment.

MÉLODIE : TAS UNE IDÉE ?

JACKSON : NON, MAIS FAUT TROUVER UN TRUC. SI BEKKA DIFFUSE LA VIDÉO, MA MÈRE M'ENVOIE VIVRE À LONDRES CHEZ MA TANTE.

Cette nouvelle déchira les entrailles de Mélodie comme une bande de cire qu'on arrache. Ils ne se connaissaient que depuis un mois, mais elle n'imaginait pas la vie à Salem sans lui. Elle n'imaginait plus *rien* sans lui. Dans le langage de l'amour, Mélodie était la lettre Q et Jackson la lettre U qui allait avec. Il était son complément et l'une n'allait pas sans l'autre.

MÉLODIE : ALLONS PARLER À BEKKA ! P-E QUE SI ON LA SUPPLIE…

JACKSON : ELLE EST TROP OCCUPÉE AVEC SES INTERVIEWS. ON NE VOIT QU'ELLE À LA TÉLÉ ET SUR LE WEB. ELLE S'ARRÊTERA PAS AVANT D'AVOIR FRANKIE. BRETT TJRS EN ÉTAT DE CHOC À L'HOSTO. ALERTE ROUGE. C'EST LA FOLIE ! LES FAUSSES VIDÉOS D'APPARITION DE MONSTRES ONT ENVAHI YOUTUBE.

Une seconde bande de cire laboura les entrailles de Mélodie. Toutes les nouvelles que lui donnait Jackson ne faisaient qu'accentuer son stress. Il fallait qu'elle s'extirpe de ce canapé et qu'elle passe à l'action. Elle devait trouver un moyen d'effacer cette vidéo de Jackson du téléphone de Bekka et…

La porte d'entrée s'ouvrit à la volée et une rafale de vent glacé s'engouffra dans le chalet, accompagnée d'un roulement de tonnerre.

—Aaaahhh ! hurlèrent de nouveau les filles.

Saisie de panique, Candace donna des coups de pied en pédalant dans l'air. L'arrière de ses chevilles était couvert de carrés de gaze posés de travers.

—Prêtes pour une soirée jeux de société, les filles ? lança leur mère en secouant son parapluie Louis Vuitton marron monogrammé de lettres d'or avant de franchir le seuil. Nous avons le Uno, le jeu du dictionnaire et Le Petit Bac, annonça-t-elle en déposant deux sacs Toys"R"Us ainsi que quatre sacs Nordstrom détrempés dans l'évier de la cuisine.

La seule chose que l'ancienne styliste personnelle des stars détestait davantage que les chaussettes bleues avec un pantalon noir, c'était les marques d'humidité sur le parquet.

—*Soirée jeux de société ?* articula silencieusement Candace.

Mélodie haussa les épaules. C'était la première fois qu'elle en entendait parler elle aussi.

—Pizzas individuelles allégées pâte fine, ça vous dit ? demanda Beau, leur père autobronzé et ultrasoucieux de sa forme.

Il pénétra dans la maison derrière Glory, un sac de plats à emporter à la main et un grand sourire la-famille-s'amuse aux lèvres.

—Papa va manger du fromage ? En quel honneur ? s'enquit Candace depuis le canapé.

Glory entra dans le salon et tendit à chacune de ses filles une boîte à chaussures marron frappée du logo UGG.

—On a décidé de faire contre mauvaise fortune bon cœur avec cette histoire de couvre-feu et de se laisser aller un peu au cas où ce serait notre dernière soirée dans le monde des vivants.

Elle fit un clin d'œil à Mélodie pour bien lui faire comprendre qu'elle pensait que tout ce cirque et cette chasse aux monstres n'étaient qu'un coup de marketing typique d'une petite ville pour booster les ventes de boîtes de conserve, d'eau en bouteille, de lampes torches et de piles dans un contexte économique ralenti. Toujours désireux de s'intégrer, ses parents avaient cependant choisi de jouer le jeu.

Candace souleva le couvercle de sa boîte à chaussures pour jeter un coup d'œil à l'intérieur.

— Quoi ? Tu nous as toujours dit que les UGG étaient les tongs des montagnards et que les femmes célibataires ne devaient en porter sous aucun prétexte.

— C'était valable quand nous vivions à Beverly Hills, se justifia Glory en dénouant son foulard de soie dorée pour libérer ses cheveux auburn. Nous sommes maintenant dans l'Oregon et les règles ont changé. Le climat est plutôt frisquet.

— Pas chez nous en tout cas, intervint Mélodie, faisant allusion au thermostat toujours déréglé.

Malgré le vent qui soufflait en rafales à l'extérieur, elle transpirait en caleçon et débardeur à l'intérieur de la maison.

— Tout le monde a mis ses UGG ? demanda Beau en s'avançant d'un pas alourdi par ses nouvelles bottes grises.

Malgré l'usage extensif qu'il faisait du Botox, la joie se lisait sur ses traits.

— Pourquoi est-ce que vous avez l'air tellement contents, vous deux ? leur demanda Candace avant d'arracher une autre bande de gaze de sa jambe. Ouille! hoqueta-t-elle en massant frénétiquement sa peau devenue écarlate.

—Nous nous faisons une joie de passer ce week-end en famille.

—Beau se pencha par-dessus le dossier du canapé pour caresser le sommet de la tête blonde de sa fille.

C'est le premier samedi soir depuis des années que Candi n'a pas de rendez-vous galant.

—Rectification.

Candace resserra la ceinture de son kimono et se mit debout. Un papier de chewing-gum argenté était resté collé sur son genou à cause de la cire.

—J'avais bien un rendez-vous, mais j'ai dû l'annuler à cause de ce couvre-feu débile. Voilà comment je me retrouve coincée à la maison avec une soirée jeux de société-pizzas-UGG en perspective.

Elle décolla le papier de chewing-gum et en fit une boulette qu'elle lança dans la cheminée de pierre.

—Candace et les garçons, terminé. À partir de maintenant, c'est Candace en UGG vautrée sur le canapé, et, croyez-moi, ce n'est pas ce qu'il y a de plus folichon.

—Dé-so-lée, fit Glory avec une grimace en remettant vivement les bottes dans leur boîte. Je ne savais pas que ton père et moi étions d'une compagnie tellement désagréable.

—Ce n'est pas ce que j'ai voulu dire.

Candace leva les yeux au ciel.

«Ping!»

Mélodie regarda l'écran de son téléphone, heureuse de trouver une raison de zapper l'option dispute de leur petite soirée en famille.

JACKSON : TES TJRS LÀ ? ON FAIT QUOI ? IL NOUS FAUT UN PLAN. ET VITE !

Alors que Mélodie s'apprêtait à activer son écran tactile d'un coup d'index, le téléphone lui fut enlevé des mains.

— Hé ! Qu'est-ce qui te prend ? glapit-elle en direction de Candace.

— J'essaie de m'amuser un peu en famille, la taquina sa sœur en faisant mine de lui rendre l'appareil, pour le retirer au dernier moment. T'es restée scotchée à ton portable à textoter toute la soirée et j'aimerais bien savoir ce que tu mijotes.

— Mélodie ! la gronda Beau d'un ton sévère. Es-tu en train de *sextoter* ?

— *Quoi ?* s'étrangla Mélodie. Bien sûr que non ! (En d'autres circonstances, elle aurait pu trouver comique que son père essaie de parler comme les ados, mais se faire déposséder de son téléphone n'avait vraiment rien d'amusant.) Candace, rends-moi ça !

— Pas tant que tu ne m'auras pas dit ce qui se passe ! décréta Candace en levant le téléphone au-dessus de sa tête. Qui est donc ton mystérieux correspondant ? C'est Mister Hollywood ?

—Qui ça?

Mélodie plongea en direction de son iPhone, mais Candace fut plus rapide.

— *El mysterioso* garçon au chapeau et lunettes de soleil. C'était bien lui ton cavalier hier soir, non?

—Pas vraiment. On a été plus ou moins obligés d'y aller ensemble à cause de Bekka. J'ai même jamais traîné avec lui ou… (Mélodie s'interrompit d'elle-même.) Pourquoi je te raconte tout ça, de toute façon?

—Je le savais! C'est Jackson!

—Candace! (Mélodie bondit de nouveau sur elle.) Rends-moi mon téléphone! Papa, fais quelque chose!

—Sûrement pas, maugréa Beau. Débrouillez-vous toutes seules.

Il se leva et repartit dans la cuisine en traînant des UGG et en marmonnant des commentaires ironiques sur les joies d'élever deux adolescentes.

—Can-dace!

Mélodie jeta un coussin sur sa sœur en visant la poitrine, mais celle-ci l'esquiva avec l'habileté d'une fille habituée à repousser les intrusions dans son espace vital.

—Rends-le-moi tout de suite! insista Mélodie.

Elle se jeta sur le canapé de tout son long, prête à tirer les cheveux de sa sœur. Au moment où ses doigts allaient entrer en contact avec le cuir chevelu de Candace, un nuage de poudre blanche obscurcit sa vision.

Mélodie se mit aussitôt à tousser.

— Recule! la menaça Candace en brandissant la saupoudreuse de talc comme une épée. Ou je recommence.

— Mon asthme! réussit à articuler Mélodie en s'éventant pour dissiper le nuage blanc qui sentait le bébé.

— Eh! merde, j'avais oublié, s'excusa Candace en baissant son arme. Ça va? Tu veux ton inhalateur?

Mélodie porta les mains à sa gorge en hochant la tête. À peine Candace se fut-elle détournée que Mélodie se jeta sur elle et arracha d'un coup d'un seul une bande de cire à l'intérieur d'une de ses cuisses.

— Ha ha! Je t'ai bien eue!

— Arrrghh! vagit Candace.

Elle bondit sur ses pieds, une pièce d'un penny collée sur le mollet, et se précipita sur la porte vitrée coulissante donnant sur la ravine derrière la maison.

— Téléphone, terminé!

— Tu n'oserais pas!

Mélodie lui coula un regard en biais.

Candace déverrouilla la porte et fit mine de l'ouvrir.

— Dis-moi ce qui se passe ou je te jure que ce téléphone finira comme télé à écran plat dans le nid d'un oiseau.

Mélodie n'osa pas l'accuser de bluff. La dernière fois qu'elle avait tenté le coup, Candace avait jeté son sac à dos Barbie sur le siège arrière d'une décapotable qui passait devant chez elles. Elle préféra s'avouer vaincue, comme toujours, et déballa à voix basse à sa sœur toute l'histoire à propos de

Bekka, de Brett, de Frankie, de Jackson, de la vidéo et du « tic-tac » qu'elle recevait toutes les heures.

—Waouh! lâcha Candace quand Mélodie eut terminé.

Elle lui rendit son téléphone sans plus d'histoires, pencha légèrement la tête sur le côté et la dévisagea. Ses traits exprimaient un mélange de confusion et d'étonnement, comme si elle examinait une étrangère qu'elle était sûre d'avoir déjà vue quelque part.

Mélodie mordillait l'ongle de son pouce, redoutant la réaction de sa sœur. *Va-t-elle éclater de rire et se moquer de la situation inextricable dans laquelle je me suis fourrée? Me traiter d'idiote de ne pas livrer Frankie? Me reprocher de m'être liée d'amitié avec Bekka en premier lieu? M'obliger à quitter Jackson? Raconter aux parents que toute cette histoire de monstre est véridique et que ce n'est pas un coup de pub de la ville de Salem en fin de compte?*

Un roulement de tonnerre vint briser le silence qui s'était installé.

—Ne me regarde pas comme ça, la pressa Mélodie. Dis quelque chose.

—J'ai failli marcher, finit par dire Candace avec un sourire. Mais le coup de la fille de Frankenstein cachée dans le labo de son père, c'est quand même un peu gros. (Elle poussa Mélodie et retourna à pas feutrés vers le canapé.) Écoute, tu ne veux pas reconnaître que tu échanges des mots d'amour avec Jackson, très bien. Mais tu aurais pu trouver quelque chose de plus créatif. Tu es bien la dernière personne que j'aurais crue capable de surfer sur la vague de cette histoire de monstres. Tu es au-dessus de ce genre de trucs, d'habitude.

Mélodie était sur le point de se défendre, mais elle se ravisa. Pourquoi ne pas laisser croire à Candace qu'elle avait tout inventé, après tout ? Ça valait mieux pour tout le monde.

—Tu as raison, soupira-t-elle en se laissant tomber sur la table basse au plateau en miroir. Je t'ai raconté n'importe quoi. J'étais trop mal à l'aise pour...

—Ha ha! (Candace se releva d'un bond.) Alors, tout ce que tu as dit est vrai!

—*Quoi?* Non, je t'ai raconté des craques.

—C'est maintenant que tu me racontes des bobards!

Candace agita dans l'air épais un doigt catégorique.

—Tu ne reconnais jamais que j'ai raison quand c'est la vérité.

Mélodie gloussa d'un air coupable tout en s'émerveillant de la façon dont Candace contredisait le stéréotype sur les blondes écervelées. Sa sœur avait un cerveau. Et elle savait s'en servir.

—La fille de Frankenstein existe bel et bien, alors? murmura Candace.

Mélodie confirma d'un hochement de tête.

—Et elle vit vraiment dans un laboratoire?

Mélodie acquiesça de nouveau.

—Et elle est chargée d'électricité?

—Oui!

—Pas très original. (Candace jeta un coup d'œil furtif par la porte vitrée donnant sur la ravine.) Il y en a d'autres?

—Je ne sais pas trop, répondit Mélodie. Mais tu n'as aucune raison d'avoir peur. (Elle se sentit soudain obligée de s'expliquer.) Ils sont parfaitement normaux… à quelques détails près.

—«Peur»? (Candace esquissa un sourire et son visage s'illumina comme un lac au lever du soleil.) Je n'ai pas *peur*. Je suis sur le cul.

—Hein?

Mélodie ramena ses genoux contre sa poitrine. La surface froide de la table rafraîchit agréablement ses pieds moites.

—Je suis fière de toi. (Candace sourit franchement.) Tu prends enfin des risques.

—Ah oui?

—Ouais. C'est juste que je n'arrive pas à comprendre *pourquoi* tu fais ça, reconnut-elle en tapotant les coussins pour les débarrasser de la poudre blanche qu'elle y avait répandue. Ça ne te ressemble tellement pas de prendre fait et cause pour les autres.

Mélodie fut piquée au vif par sa remarque, même venant d'une fille qui pensait que télécharger l'album du concert *Hope for Haïti Now* faisait d'elle une humanitaire.

—Je suppose que c'est parce que je sais ce que c'est que d'être jugée sur les apparences, se justifia-t-elle pour ce qui lui parut être la centième fois.

—Et alors?

Candace se mit debout et tâta l'arrière de ses jambes pour voir s'il restait des bandes de cire qu'elle aurait oubliées. Son ton était plus curieux que condescendant.

Mélodie était consciente que ce n'était pas évident pour une fille génétiquement parfaite comme Candace de comprendre ce qu'on pouvait éprouver quand on était dotée d'un physique atypique. Elle lui avait déjà expliqué un nombre incalculable de fois ce qu'était sa vie avant sa rhinoplastie et les moqueries qu'elle avait dû encaisser à l'école, mais ça semblait glisser sur sa sœur. Autant essayer d'expliquer le principe du déstockage de vêtements de marque en magasin d'usine à un habitant de la brousse en Tanzanie.

— Et alors, je veux que tout le monde arrête de porter des jugements, poursuivit Mélodie. Ce que je veux surtout, c'est qu'on ne se sente pas jugé en permanence. Oh! et je veux aussi que les caïds et les pestes cessent d'intimider les gens… ou les monstres… ou qui que ce soit… (Elle s'interrompit, consciente de la confusion qui se dégageait de ses propos.) Je veux juste me rendre utile, d'accord?

Candace se mit à tourner sur elle-même comme un chien qui poursuit sa queue.

— Commence donc par m'aider à enlever le reste de ces bandes de cire, dit-elle. J'arrive pas à attraper correctement celles qui sont derrière.

— Tu peux toujours courir, marmonna Mélodie. Après tout ce que je viens de te raconter, il n'y a que tes jambes qui t'intéressent?

« Ping ! »

Mélodie regarda son téléphone, qui annonçait l'arrivée d'un nouveau message audio de Bekka. Cette fois, elle mit le haut-parleur.

« Tic-tac… tic-tac… tic-tac… »

Le visage parsemé de taches de rousseur de Bekka fit irruption dans l'esprit de Mélodie. Un visage en qui elle avait eu confiance. En face duquel elle prenait ses repas à la cantine. La veille encore, c'était celui d'une amie. Mais, désormais, ce visage affichait une moue hautaine et se tordait probablement de rire chaque fois que Bekka envoyait son alerte débile. Mélodie essaya de visualiser son ex-amie : elle fouillait dans son téléphone, tombait sur la vidéo de Jackson, mettait au point tout ce chantage, accusait Frankie de tous les maux, lançait une chasse aux monstres, semait la terreur et la panique en ville, se servait de son *ego* blessé pour détruire des vies…

Beurk !

Le cœur de Mélodie s'accélérait à chaque image qui s'ajoutait, insufflant dans ses veines le désir de se mettre debout et de se battre. D'arracher la tête de Bekka comme Brett avait malencontreusement arraché celle de Frankie. De frustration, Mélodie eut envie de bondir de la table basse où elle était assise et d'arracher violemment une des bandes de cire à l'arrière des précieuses jambes de Candace – et elle passa à l'acte.

—Arrghh ! hurla Candace.

Mélodie s'éloigna à grands pas dans le salon, forte d'une nouvelle détermination.

—La prochaine fois que j'entendrai ce cri, il sortira de la gorge de Bekka.

—Attends, appela Candace en lui courant après. Tu crois qu'il y a des canons chez les monstres ?

—Hé, t'emballe pas, Bella ! Qui surfe sur la vague à présent ?

—Arrête-toi ! lui intima Candace. Je veux t'aider.

Cette fois-ci, Mélodie se retourna carrément vers elle.

—*Sérieux ?*

—Ouais. (Candace opina vigoureusement du chef avec une authentique sincérité.) J'ai besoin d'une cause à soutenir pour mes dossiers d'inscription à l'université.

—*Candace !*

—Ben quoi ? Plus vous aurez de gens normaux qui vous soutiennent, mieux ce sera, non ?

Mélodie considéra cette réponse. Une fois de plus, sa sœur avait raison. Qui était mieux placé pour défendre la cause des physiquement déshérités qu'une fille génétiquement parfaite ? Rien ne valait une cohabitation harmonieuse de ces deux catégories pour faire avancer l'idée que les apparences ne comptaient pas. Pas même le cinéma.

—Très bien. Va t'habiller, dit finalement Mélodie. Tenue confortable exigée.

—Confortable comme pour prendre l'avion ou confortable comme pour faire du yoga ?

—*Hyper* confortable.

—Pourquoi? Où est-ce qu'on va? demanda Candace en faisant bouffer ses cheveux.

—Je ne sais pas encore exactement, répondit Mélodie en montant les marches de bois inégales qui menaient à sa chambre. Mais quelle que soit notre destination, je vais avoir besoin d'un chauffeur.

À : CLAWDEEN, LALA, LAGOONA

26/09, 19h01

CLÉO : BIJOUX À GOGO, MIEUX QUE LA NUIT DES OSCARS. VENEZ JOUER. ^^^^^^^^^^^^^^^

À : CLAWDEEN, LALA, LAGOONA

26/09, 19h06

CLÉO : LA 1re ARRIVÉE AURA DROIT DE PORTER LA COURONNE VAUTOUR EN OR MASSIF. ^^^^^^^^^^^^^

À : CLAWDEEN, LALA, LAGOONA

26/09, 19h09

CLÉO : VOUS ALLEZ LE REGRETTER. SI VOUS VNEZ PAS, VOUS POURREZ TJRS ALLER VOUS FAIRE VOIR CHEZ NÉFER-TATI. ^^^^^^^^^^^^^^^^^

À : CLAWDEEN, LALA, LAGOONA

26/09, 19h12

CLÉO : VOUS AVEZ DONNÉ VOTRE POUCE AU CHAT OU QUOI? PK VOUS RÉPONDEZ PAS? ^^^^^^^^^^^^

CHAPITRE 3

À FOND LES BOULONS

Frankie Stein se tourna vers les rats dans leur cage à côté de son lit.

— Je manque d'expérience pour ce genre de trucs, leur dit-elle. Mais je croyais qu'on prenait des nouvelles de ses amies quand elles avaient été décapitées, non?

Le rat numéro deux – une femelle que Frankie avait surnommée Gwen – leva son museau rose en reniflant. Gaga, Girlicieuse, Green Day et Ghostface Killah demeurèrent immobiles, imbriqués les uns dans les autres.

— Et si c'est pas ce qui se fait d'habitude, ben ça devrait, ajouta-t-elle en roulant sur le dos.

L'ampoule unique d'une lampe chirurgicale flottait au-dessus de sa tête, comme un cyclope s'érigeant en juge qui la regardait de haut depuis ces dernières vingt-quatre heures.

Comme tout le monde, de toute façon.

Il avait plu toute la journée. Un éclair illumina soudain la rue sous la fenêtre de verre dépoli. Ce n'était pas le premier qui venait frapper le lit métallique de Frankie, mais c'était le plus puissant. Le courant d'énergie pure qui la parcourut fit ressembler la charge de l'ampèratrice bricolée par son père à celle d'une vachette landaise avec une patte cassée. Ses jambes furent projetées en l'air et retombèrent mollement sur la surface dure. Exactement comme sa vie sociale.

— À fond les boulons et toujours en prison, dit-elle avec un soupir en débranchant les pinces accrochées à ses délicats boulons cervicaux comme les dents d'un crocodile.

Elle était regonflée à bloc. On l'avait recousue. Ses points de suture avaient été consolidés. Après avoir littéralement perdu la tête au cours d'un langoureux baiser à se mettre à genoux avec le normie Brett Redding, Frankie renaissait à la vie. On lui avait accordé une seconde chance. Malheureusement, ce n'était pas de cette vie qu'elle voulait.

Frankie respirait les effluves de formol du laboratoire de son père et regrettait l'absence des petites touches girly ultravoltage dont il l'avait privée à la suite de ce fameux « incident » : ses bougies à la vanille, son poster de Justin Bieber sur le crâne du squelette, les éprouvettes remplies de gloss et de pinceaux de maquillage, ses tapis roses, sa banquette rouge, les paillettes dans les poils de Gaga, Gwen, Girlicieuse, Green Day et Ghostface Killah. Il avait tout enlevé. Toute trace de Frankie au temps du bonheur avait été effacée. À leur place, elle contemplait désormais du matériel chirurgical aseptisé, des câbles électriques emmêlés et de simples rats de laboratoire ; autant de rappels implicites de la façon dont elle était venue à ce monde. Et combien il serait facile de la débrancher pour toujours.

Ce n'était pourtant pas ce que *désiraient* ses parents. Ils adoraient visiblement leur Frankie. Sinon, pourquoi Viktor aurait-il passé toute la nuit à la réparer ? C'étaient les autres habitants de Salem qui voulaient la débrancher. Après tout, elle était responsable de la première chasse aux RAD depuis les années trente. Elle avait traumatisé le pauvre Brett, qui avait fini en état de choc à l'unité psychiatrique de l'hôpital. Et tous les policiers de la ville étaient à sa recherche.

N'empêche, était-ce une raison pour lui confisquer son téléphone ? la consigner dans le labo ? la désinscrire de Merston High ? Oui, elle avait fait le mur pour aller au bal alors qu'ils l'avaient (injustement) privée de sortie. Et oui, elle avait exposé (entièrement) sa peau verte. Et triple oui, elle avait (accidentellement) perdu la tête – cette dernière s'était détachée de son corps. Mais quoi ? Elle se battait contre la discrimination ! Ne voyaient-ils pas cet aspect des choses ?

L'orage gronda au-dessus d'elle. Gaga, Gwen, Girlicieuse, Green Day et Ghostface Killah se dressèrent sur leurs pattes arrière et se mirent à gratter furieusement la paroi de verre de leur cage.

Frankie glissa ses mains à l'intérieur. Leurs petits cœurs cognaient dans leurs poitrines ; ils étaient prêts à l'attaque ou à la fuite, mais ils étaient prisonniers. Ils ne pouvaient ni se battre ni s'enfuir. Ils étaient obligés de rester là à ne rien faire, en dépit des dangers qui les menaçaient. Comme Frankie.

— Tenez, ça vous aidera un peu, dit-elle en tirant le petit sac de paillettes multicolores qu'elle gardait enfoui sous leur sciure. Ce n'est pas parce que papa est furieux contre moi que vous devez en pâtir. (Elle ouvrit le sachet et saupoudra les paillettes sur les rats comme du sel sur des frites.) *Du glamour comme s'il en pleuvait*, chantonna-t-elle d'un ton qui se voulait enjoué.

Sa voix lui parut discordante.

Quelques secondes plus tard, les petites bêtes cessèrent de gratter la paroi de leur cage et se pelotonnèrent dans leur posture habituelle de virgule, rassérénées. On aurait dit des boules de glace à la vanille couvertes de vermicelles arc-en-ciel.

— Voltage. (Frankie sourit d'un air approbateur.) Les Glitterati sont de retour.

Ce n'était qu'un petit pas vers la réhabilitation de son Glamoratoire, mais c'était un début.

Sans frapper à la porte pour l'avertir de leur arrivée, Viktor et Viveka pénétrèrent dans la pièce.

Frankie s'écarta de la cage et retourna dans son lit, le seul endroit où elle était encore à sa place.

— Tu ne dors pas, constata son père d'une voix neutre qui n'exprimait ni plaisir ni déception.

Son indifférence était plus douloureuse que cent points de suture réalisés avec une aiguille émoussée.

— Bonne nuit, Frankie, dit sa mère d'une voix lasse.

Elle croisa les bras sur son peignoir de soie noire, ferma ses yeux violets et appuya sa tête contre le cadre de la porte.

La couleur verte de sa peau avait perdu de son éclat. Son teint autrefois menthe à l'eau avait pris la teinte grisâtre des cornichons.

Frankie se précipita vers eux.

— Je suis désolée ! (Elle aurait voulu les serrer dans ses bras et se blottir entre les leurs, mais ils ne firent pas un geste.) Je vous en prie, pardonnez-moi, je vous promets que…

— Plus de promesses.

Viktor leva une main géante, les paupières mi-closes. Les coins de sa large bouche étaient affaissés et ses lèvres ressemblaient à deux boudins de gélatine.

— Nous en reparlerons demain matin.

— Nous devons recharger nos batteries, expliqua Viveka. Nous sommes restés debout toute la nuit pour te remettre en état, la journée a été éprouvante et nous sommes… (Sa voix se brisa l'espace d'une seconde.)… à plat.

Frankie baissa les yeux sur sa triste blouse d'hôpital pour cacher sa honte. Ses parents étaient des adultes ; ils avaient terminé leur croissance et avaient rarement besoin de se recharger. Pourtant, il leur fallait manifestement un coup de fouet, à présent, et c'était à cause d'elle.

Elle releva la tête et s'obligea à les regarder en face, mais ne trouva que la porte fermée. Ils étaient partis.

Je fais quoi, maintenant ?

À travers la cloison, elle entendit le ronronnement de l'ampèratrice de Viktor et Viveka. Frankie, quant à elle, pétillait de plus d'énergie que la centrale de Salem et faisait les cent pas sur le sol blanc et brillant en rêvant d'une vie au-delà du laboratoire de son père. Elle se languissait d'avoir des nouvelles de ses amies. Où étaient-elles ? Étaient-elles également consignées chez elles ? Étaient-elles toujours ses amies ?

Que faisaient Mélodie et Jackson/Holt Hyde ? Ils étaient censés trouver un plan pour sauver Frankie des griffes de Bekka, mais ils ne lui avaient pas non plus donné signe de vie… à moins que ce soit leur façon de lui faire payer les ennuis qu'elle leur avait attirés. Peut-être même que Holt se moquait bien d'elle. Peut-être que Mélodie et Bekka riaient ensemble en ce moment et arrosaient leur succès avec ces boissons à bulles des normies…

À Frankie, qui gobe tout ce qu'on lui raconte ! Pire que Lala et ses suppléments de fer !

Frankie retourna se coucher à pas lents et s'enroula dans ses couvertures électromagnétiques doublées de polaire.

— Regarde ça, Cyclope. Je suis un sushi à l'avocat.

La lampe dardait sur elle son œil sans expression.

La solitude s'insinua dans les entrailles de Frankie, comme une première bise d'automne, un aperçu glacial de la noirceur qui l'attendait.

Le tonnerre gronda. Un éclair déchira la nuit. Les Glitterati recommencèrent à gratter la paroi de verre.

—Ce n'est rien, leur murmura Frankie depuis son rouleau de polaire. Ce n'est que…

Un second éclair zébra le ciel. Les lampadaires dans la rue s'éteignirent. L'ampèratrice de ses parents de l'autre côté du mur fut réduite au silence et le labo plongé dans le noir.

—C'est le black-out total! (Frankie repoussa ses couvertures d'un coup de pied et s'assit dans son lit.) Comme si je n'étais pas assez punie comme ça!

Des arcs électriques dus à la nervosité s'échappèrent de ses doigts, illuminant la pièce.

—Vol-tage! marmonna-t-elle, pour une fois reconnaissante de sa tendance à faire des étincelles, qu'elle trouvait d'habitude plutôt gênante.

Guidée par les flammèches jaunes jaillissant de ses mains, Frankie se dirigea vers la porte. Si elle réussissait à atteindre la chambre de ses parents avant qu'ils soient complètement déchargés, elle pourrait leur donner un peu de jus, de quoi tenir jusqu'à ce que leur ampèratrice reprenne du service. Ils se rendraient alors peut-être compte de la chance qu'ils avaient de l'avoir pour fille. Ils lui pardonneraient peut-être… et la serreraient dans leurs bras.

Comme Frankie s'apprêtait à saisir la poignée de la porte, une rafale s'engouffra dans la pièce. Ce n'était pas la solitude qui lui jouait des tours cette fois-ci, mais bien le vent. Elle se retourna lentement vers le courant d'air froid, s'efforçant de percer l'obscurité pour voir ce qui se passait. Elle ne put rien distinguer d'autre que l'ourlet froissé de sa blouse d'hôpital et le bout de ses pieds nus et verts.

Le vent souffla plus fort.

La bouche de Frankie s'asséchait. Ses boulons la picotèrent, et des étincelles en jaillirent.

— Il y a quelqu'un ? demanda-t-elle d'une voix tremblante. (Les Glitterati bondissaient comme des fous en faisant crisser leur litière.) Chut, leur intima Frankie, qui essayait d'entendre ce que ses yeux ne lui permettaient pas de voir.

« Bang ! »

Quelque chose claqua de l'autre côté du laboratoire. La porte d'une armoire ? Le squelette ? La fenêtre ?

La fenêtre !

Quelqu'un tentait de s'introduire chez elle !

Bekka !

Avait-elle appelé la police ? Allaient-ils arrêter Frankie pendant que ses parents gisaient, sans défense, sur leur lit ? La seule pensée d'être emmenée par des agents sans avoir eu le temps de leur faire ses adieux la fit s'illuminer comme une omelette norvégienne qu'on viendrait de flamber...

C'est ainsi qu'elle vit la brique qui fondait sur elle à travers l'obscurité.

Frankie présuma qu'elle ne pouvait venir que d'une foule de normies assemblée sous sa fenêtre. Si elle se souvenait bien de l'histoire de son grand-père, les normies étaient armés de fourches et de torches et ne portaient pas dans leur cœur les gens chargés d'électricité qui vivaient près de chez eux.

CHAPITRE 4

VISITEUR DU SOIR, ESPOIR

Frankie fouilla son cerveau dans l'espoir que son père lui aurait implanté quelques trucs pour affronter ce genre de situation lorsqu'il l'avait fabriquée, mais la seule injonction qui lui vint à l'esprit fut… *à terre!*

Elle se laissa tomber à plat ventre sur le sol de béton ciré, bras en croix pour s'aplatir le plus possible. Les pales d'acier de la panique tournoyaient dans son ventre tel un ventilateur de plafond. Sa respiration était saccadée comme celle d'un animal pris au piège. Frankie ferma très fort les yeux et…

—La lune est à son premier quartier ce soir, à ce qu'on dirait, murmura une voix masculine.

Qu'est-ce qu'on disait sur les assassins et les considérations sur l'air du temps, déjà?

—Pas de blabla, je suis prête! s'écria Frankie.

—Daccodac, répondit-il.

Frankie serra encore plus fort les paupières. Des images de ses parents éplorés dansèrent devant ses yeux. Mais ils seraient sans doute plus en sécurité et beaucoup moins fatigués sans elle. Cette dernière pensée lui procura des kilowatts de réconfort.

— Allez! Qu'on en finisse!

L'intrus déposa un objet sur le sol près de sa tête.

Un revolver? un découseur? une dévisseuse? Elle avait trop peur pour regarder. Il se tenait au-dessus d'elle, elle sentait la chaleur qu'il dégageait, l'entendait respirer. *Mais qu'est-ce qu'il attendait?*

— Alors, ça vient?

Il étendit un drap sur le caleçon de garçon à moitié baissé de Frankie.

— Et voilà.

Elle s'autorisa à ouvrir les yeux.

— Je suis morte?

— Morte? gloussa-t-il. Au contraire, je viens de sauver tes fesses! Et au sens propre, encore.

— Quoi?

Frankie se redressa.

— Tu montrais la moitié de ta lune, et je l'ai recouverte.

La voix lui parut soudain familière.

— Billy?

— Ben ouais, chuchota son ami invisible. (Frankie laissa échapper un rire; ses doigts cessèrent de lancer des étincelles et elle se releva.) Je suis entré par la fenêtre. J'espère que ça ne t'ennuie pas, fit la voix dans l'obscurité.

— Au contraire. (Elle sourit de toutes ses dents.) Qu'est-ce qui t'amène?

—Je suis venu prendre de tes nouvelles, dit-il doucement. Et t'apporter ça.

Il lui mit un objet dans la main. C'était ce qu'elle avait pris pour une brique volant vers elle à toute allure. Sauf que ça n'en était pas une, mais une boîte enveloppée de papier argenté.

—Qu'est-ce que c'est? demanda Frankie en déchirant le papier. (Elle découvrit un objet blanc rectangulaire qui tenait dans sa paume.) Un iPhone?

—Le nouvel iPhone 4 plus précisément. J'ai voulu t'appeler et je suis tombé sur un message enregistré disant que ton téléphone était désactivé, alors je me suis dit que ça pourrait t'être utile.

—Comment tu as fait pour…

—Claude est allé l'acheter pour moi, expliqua-t-il.

—Mais ça coûte les yeux de la tête, ces trucs-là.

—Je ne dépense rien pour le ciné, tu vois. Je rentre partout sans payer. Quant aux fringues…

—Bah! pouffa-t-elle en se rendant compte qu'il déambulait tout le temps en tenue d'Adam.

S'il avait été habillé, on n'aurait vu qu'un jean qui flottait dans le vide.

—Allume-le, dit-il, détournant le cours de ses pensées.

Frankie exerça une pression du pouce sur le petit cercle noir en bas de l'appareil. Une orchidée verte s'épanouit sur l'écran.

—C'est une photo de moi avec cette fleur à la main. Tu peux changer de fond d'écran si tu veux. (Il fit défiler une page d'icones colorés puis passa aux contacts.) Je t'ai enregistré le numéro de téléphone et les adresses de tout le monde. (Il toucha ensuite un carré orange, faisant apparaître une liste apparemment interminable de titres d'albums.) Et de la musique, bien sûr.

Frankie gardait les yeux rivés sur son cadeau, sans savoir quoi dire. Ce n'était pas la technologie de pointe à lui faire frémir les boulons qui la laissait sans voix. Ce n'était pas non plus la bibliothèque de CD, les pages d'applications, ni le carnet d'adresses plein à craquer. C'était sa gentillesse et ses attentions.

— T'es vraiment trop mignon, Billy. Merci.

— Ce n'est rien du tout, dit-il, alors que c'était totalement faux. Et puis tiens! quand l'électricité a sauté, je t'ai aussi téléchargé une application de chandelle pour que tu puisses voir dans le noir.

Frankie effleura l'écran. Une flamme virtuelle émit une lumière tremblotante autour d'elle.

— C'est trop voltage, dit-elle en serrant le téléphone contre l'endroit où aurait dû se trouver son cœur. Qu'est-ce que j'ai fait pour mériter ça?

— Tout. Tu as pris des risques pour notre communauté. Et même si ça s'est plus ou moins retourné contre nous, on t'en est tous reconnaissants.

— «Tous»? (Les pales d'acier tournoyant dans son ventre commencèrent à ralentir un peu.) Vous ne m'en voulez pas?

—Quelques parents t'en veulent, bien sûr. Mais pas nous. C'était plutôt marrant, au final, comme t'as fait flipper Brett.

Frankie rayonna de tout son corps. Si le soulagement avait pu se convertir en électricité, elle aurait éclairé tout le comté.

—Merci beaucoup, Billy, dit-elle, s'adressant à l'obscurité. Je t'aurais bien serré dans mes bras, mais...

—Ouais, je suis à poil et tout, acheva-t-il. C'est pas le bon plan. (Frankie gloussa.) À propos, où sont passés tes parents ?

—Oh, ils sont partis ! Complètement hors circuit, répondit Frankie, sans mentir tout à fait.

—Ils rentrent quand ?

—Demain dans la journée.

—Parfait, approuva Billy en activant l'application chandelle de son propre iPhone, qu'il braqua vers la fenêtre de verre dépoli.

—Qu'est-ce que tu fais ? s'étonna Frankie, dont la paranoïa reprit le dessus.

Et si c'était un piège ?

—Tout va bien, la rassura Billy, son téléphone toujours orienté vers la vitre. Regarde...

Tout à coup, la fenêtre s'entrouvrit et tous ses amis RAD se glissèrent un à un dans sa chambre.

—On ne pouvait pas se réunir sous le manège à cause du couvre-feu, alors on a eu l'idée de venir squatter chez toi, expliqua Billy. J'espère que t'as rien contre.

Une fois encore, sa gentillesse et ses attentions laissèrent Frankie sans voix. Elle leva alors sa bougie virtuelle à côté de la sienne afin de lui montrer qu'elle était entièrement d'accord.

À: SERVICE CLIENT

26/09, 19 h 43

CLÉO: LES PANNES DE COURANT COUPENT AUSSI LES PORTABLES?

À: SERVICE CLIENT

26/09, 19 h 43

CLÉO: ET LES SMS?

À: SERVICE CLIENT

26/09, 19 h 43

CLÉO: JPEUX RECEVOIR DES MSG QUAND YA PAS DE COURANT?

À: TOUS LES CONTACTS

26/09, 19 h 44

CLÉO: PTAIN DE RÂ! VOUS ÊTES OÙ?

DE: MANU

26/09, 19 h 44

PLUS DE MSG SVP. LE SERVEUR SATURE. PARE-FEU INSTALLÉ. COMMUNICATIONS ENTRE LE PALAIS ET L'EXTÉRIEUR BLOQUÉES DANS LES DEUX SENS POUR VOTRE SÉCURITÉ. ORDRES DE VOTRE PÈRE.

À : MANU

26/09, 19 h 44

CLÉO : ET COMMENT TU FAIS POUR TEXTOTER EN CE MOMENT ?

DE : MANU

26/09, 19 h 45

BRÈCHE PROVISOIRE DU PARE-FEU. INITIATIVE MANU.

À : MANU

26/09, 19 h 46

CLÉO : BAH ! TU PEUX LAISSER OUVERT UNE MIN DE PLUS ? NOTRE SECRET.

DE : MANU

26/09, 19 h 46

FIN DES MSG !

À : MANU

26/09, 19 h 47

CLÉO : ☺

CHAPITRE 5

SERPENT D'AMOUR

Cléo décommanda son bain à la lavande pour s'adonner à une activité autrement plus fastueuse. Agenouillée sur un coussin vert émeraude au pied de son lit, elle étala l'antique joaillerie sur sa couette de lin tirée au cordeau. Le glamour du vieux monde était encore plus fascinant avec le scintillement des bougies qui se reflétait dans les pierres précieuses. Même les chats avaient compris l'importance de la chose. Couchés en rond les uns après les autres, ils formaient une forteresse de fourrure autour des bijoux et gardaient le trésor royal comme si chacune de leurs neuf vies en dépendait.

Cléo avait commencé par maudire la coupure de courant. Comment pourrait-elle présenter la collection de bijoux à Bastet, Akins, Chisisi, Ébène, Ufa, Usi et Miu-Miu dans le noir ? Puis Hasina lui avait apporté une boîte contenant cent bougies votives parfumées à l'ambre. Lorsque Beb eut fini de les allumer, les deux étages de la chambre de Cléo ressemblaient à un temple de l'Antiquité. Les lumières dansantes projetaient des ombres chatoyantes sur les murs de pierre. Il lui fut très facile de se prendre pour tante Néfertiti, éclairée par la flamme de Râ et l'éclat de sa beauté naturelle. Seule sur les berges du Nil, elle attendait son amoureux secret, un prince du désert super canon prénommé Khufu, dont le regard subtil scruterait ses charmes dans leurs moindres détails, comme à son habitude. Elle devait être au top de sa beauté.

Cléo prit le collier-plastron dont le faucon semblait presque vivant. Ses yeux de rubis étincelaient comme s'il était sur le point de fondre sur quelque infortuné lapin ne se doutant de rien. Elle souleva ensuite la lourde couronne richement décorée. Ainsi lestée, quinze flexions du biceps de chaque côté et lundi elle aurait les bras de Michelle Obama.

—À quoi bon ? soupira-t-elle en reposant les bijoux dans le coffret.

Son petit jeu de séduction dans la peau de tante Néfertiti ne lui apporterait satisfaction que quelques malheureuses secondes. Il lui fallait un admirateur en chair et en os. Un prince des temps modernes. Mais, en ce moment, elle n'adressait justement plus la parole à son prince. Et elle se retrouvait seule avec un tas de chats de garde qui ronronnaient comme des sonneurs.

Cléo redescendit à pas feutrés les marches de la mezzanine qui supportait son lit et traversa le pont pour rejoindre son île de sable blanc. La mélopée des eaux du Nil avait toujours sur elle un effet apaisant. Elle s'agenouilla, joignit les mains dans une posture de prière et leva ses yeux de topaze bleue vers le ciel sans lune au-delà de son plafond de verre. Elle avait des questions urgentes à poser à la déesse antique de la beauté et de l'amour.

—Ô Hathor! commença Cléo, pourquoi m'avoir accordé tant de grâces et de beauté sans personne pour me les envier? Surtout un samedi soir?

Elle était sur le point de lui parler du nouveau couvre-feu instauré par la ville de Salem et combien elle trouvait injuste de devoir payer l'erreur de Frankie. Mais Ram insistait toujours pour qu'elle cherche des solutions à ses problèmes plutôt que de se plaindre, et Hathor était sans doute de la même trempe.

—D'accord, voilà ma vraie question, poursuivit-elle. Râ, dieu du soleil et du feu, est-il aussi le dieu des *pare*-feu? Parce que j'aurais vraiment besoin de lui pour lever celui que mon père a installé. Si Manu a pu le faire pendant, genre, cinq minutes, Râ peut certainement en faire autant pendant deux fois moins de temps. Je veux dire, sérieux... (Elle souleva le coffret contenant les bijoux pour qu'Hathor puisse mieux les voir.) À quoi sert de posséder tant de splendeurs sans personne pour les admirer? (Hathor ne répondit rien. Cléo reposa le coffret.) C'est bien ce que je disais. Il n'y a pas un chat... enfin, façon de parler.

—Moi, je suis prêt à admirer tes splendeurs, dit une voix familière.

Bastet, Akins, Chisisi, Ébène, Ufa, Usi et Miu-Miu relevèrent la tête.

Nom de Geb!

Cléo sourit à la vue de son prince charmant nonchalamment appuyé contre le chambranle doré de sa chambre. Elle se refusa cependant à traverser le pont pour aller l'accueillir.

Vêtu d'un jean slim brut délavé et d'un tee-shirt à manches longues au bleu marine délicieusement fané, chaussé des Converse montantes de cuir brun que Cléo lui avait offertes pour la fête du Travail à la rentrée, Deuce était à croquer.

Merci, Hathor!

Comme tous les membres de la famille Gorgone, Deuce avait des serpents en guise de cheveux et la capacité de transformer en pierre tout ce qu'il regardait, d'où les chapeaux et les lunettes de soleil qui étaient sa marque de fabrique. Bien que ces accessoires lui soient indispensables pour le bien-être de ses congénères, Cléo appréciait toutefois la touche de style qu'ils apportaient à son look sinon plutôt banal. Et même si les verres fumés empêchaient Cléo de regarder son Deuce dans les yeux, au moins pouvait-elle y admirer son propre reflet, ce dont elle ne se lassait jamais.

— Cool, la lumière d'ambiance.

Cléo fit courir paresseusement ses doigts dans le sable afin de dissimuler son impatience.

— Que viens-tu faire ici? s'enquit-elle avec la froideur d'une reine, au cas où il aurait oublié qu'elle était fâchée contre lui.

—J'ai essayé de t'appeler, dit-il en enfonçant ses mains dans les poches de son jean. Mais je suis tombé sur ta messagerie chaque fois.

« *Chaque fois* » ?

Cléo aurait voulu savoir combien de fois il avait appelé. À quelle heure. Ce qu'il lui aurait dit si elle avait décroché. Si son silence avait attisé les sentiments qu'il lui portait. Mais elle n'osait pas réduire à néant la façade qu'elle s'était composée. Pourquoi lui dire que Ram lui avait coupé les communications ? Elle préférait le laisser croire qu'elle avait refusé de lui répondre. Ça la rendrait plus désirable encore.

—Alors… quoi ? marmonna Deuce. Tu ne me parles plus ?

Incapable de respirer une seconde de plus dans sa robe bandelettes Hervé Léger qui lui comprimait les entrailles, Cléo se mit debout. Le vêtement violet lui faisait la taille ultrafine et la poitrine avantageuse, preuve que le couturier français était un Geb dans son domaine.

—Et de quoi exactement voudrais-tu donc parler ? demanda-t-elle en prenant la pose, une main sur la hanche et une épaule en avant.

Elle voulait lui montrer tout ce qu'il avait perdu en invitant au bal cette fille au look ringard.

—Je veux que tu saches que je n'éprouve rien pour Mélodie.

—Pour qui ? demanda Cléo en vérifiant ses cuticules parfaitement hydratées. Oh ! tu veux dire cette pauvre chose dont le seul vêtement un peu moulant est l'élastique qu'elle porte dans les cheveux?

Deuce secoua la tête et leva sans doute les yeux au ciel derrière ses lunettes. Il détestait les langues de vipère. Mais ce n'était pas aujourd'hui qu'il lui ferait avaler des couleuvres et, s'il voulait monter sur ses grands cheveux… il trouverait à qui parler.

Il finit par s'avancer. La lumière dansante des cent bougies ambrées caressait sa peau bronzée.

—C'est toi que je voulais comme cavalière, tu te rappelles? C'est toi que j'avais invitée la première. Mais tu as décidé de boycotter le bal à cause du… (il marqua une pause pour dessiner des guillemets avec ses doigts)… «thème désobligeant».

—Mais c'est avec elle que tu y es allé.

—C'est son amie Bekka, une fille très péremptoire, qui m'y a obligé. Ça ne me disait rien du tout et ç'a été la pire soirée de toute ma vie.

Cléo se languissait d'entendre combien cette soirée loin d'elle lui avait été insupportable. En ce qui concernait Deuce, elle fonctionnait comme les dromadaires : elle stockait ses mots doux dans une bosse invisible en forme de cœur dans laquelle elle puisait chaque fois qu'elle avait besoin de réconfort, se contentant de peu pour économiser son stock en prévision des périodes maigres. Un «tu es belle» la contentait toute une matinée. Un «tu m'as manqué» pouvait lui permettre de tenir un week-end. Et un «je t'aime» lui faisait trois jours sans problème. Mais cette trahison avait épuisé ses réserves et elle avait besoin de refaire le plein.

— On peut savoir pourquoi ç'a été « la pire soirée de toute ta vie » ? demanda-t-elle d'un air faussement las, comme si le sujet l'ennuyait profondément.

Moins elle semblait en attendre de lui, plus elle en obtenait.

Deuce baissa les yeux sur ses Converse dont le modèle avait été dessiné par le styliste grec John Varvatos.

— Mélodie a bien vu que je ne m'intéressais pas à elle. Elle a voulu se montrer entreprenante et…

— Et quoi ? le relança Cléo en avançant légèrement le cou.

Le mouvement subtil provoqua une minuscule ondulation de ses cheveux noirs et luisants comme de la laque.

— Elle m'a enlevé mes lunettes.

Cléo retint son souffle au souvenir de la statue de sorcière curieusement calée contre une table dans le gymnase.

— C'est toi qui as fait ça ?

Deuce hocha la tête d'un air déconfit.

— Après ça, j'ai filé aussi vite que j'ai pu, et c'est là que je suis tombé sur toi… Bref, tu connais la suite. Il ne s'est rien passé entre nous. Je le jure sur Adonis.

— Mouais, soupira Cléo.

Elle n'était pas satisfaite de sa réponse. Il aurait dû lui dire que ç'avait été la pire soirée de toute sa vie parce qu'elle n'était pas là, et non parce qu'il avait pétrifié une sorcière. Cléo était certaine qu'il ne s'était rien passé entre Deuce et Mélodie, mais ça ne comptait pas. Elle avait besoin de réconfort et il lui en fallait plus que ça. Un peu comme la fois où elle avait acheté la même paire de compensées en quatre couleurs différentes. Quand elle pouvait en avoir plus, pourquoi se contenter de si peu?

— On devrait peut-être faire un break tous les deux et voir d'autres gens.

— Quoi? s'écria-t-il en serrant les poings au fond de ses poches. Mais il n'y a que toi qui m'intéresses.

Il suffisait de demander! Cléo aurait pu s'arrêter là. Elle en avait assez pour se régaler jusqu'à lundi. Mais elle préféra tirer un peu plus sur la corde, et poussa un soupir.

— On fait la paix? demanda Deuce en s'avançant sur le pont d'une démarche hésitante.

Cléo baissa les yeux et épousseta le sable blanc et fin collé sur sa robe. Elle traversa nonchalamment le pont de pierre, rafraîchissante sous ses pieds nus. Une fois sur l'autre berge, elle s'adossa à la rambarde, les bras croisés sur la poitrine. Les chats s'installèrent à ses pieds.

— Pour me faire pardonner, déclara Deuce en faisant un pas vers elle, une mince boîte rouge à la main.

L'écrin arborait le logo Montblanc en lettres d'or, mais il était percé d'une multitude de petits trous. Il aurait pu aussi bien venir d'un vide-greniers. Face à Deuce – et à son propre reflet –, Cléo contempla les mèches de sa frange et accepta le cadeau qu'il lui tendait, à défaut de ses excuses. C'était encore trop tôt.

— Ouvre-le, dit-il en souriant. Fais attention.

Cléo souleva le couvercle à charnières, qui grinça en guise de protestation. Elle retint sa respiration en découvrant ce qu'il y avait à l'intérieur.

—Elle est cool, non? dit Deuce en glissant un doigt sous un délicat petit serpent iridescent qu'il souleva vers le bras de Cléo. (Les écailles argentées du reptile accrochaient la lumière des bougies et reflétaient un kaléidoscope de couleurs qui jetaient des éclats arc-en-ciel rivalisant avec ceux des bijoux de tante Néfertiti.) Elle vient de la tête de ma mère. Son premier cheveu blanc.

—Salut, toi, ronronna Cléo dans la boîte. Comment tu t'appelles?

Le serpent leva sa tête triangulaire en agitant sa langue fourchue.

—Hissssssssssssstttttttttttt!

—Miaaaa-ouuu! miaulèrent Bastet, Akins, Chisisi, Ébène, Ufa, Usi et Miu-Miu.

Les sept chats s'éparpillèrent comme les perles d'un collier égyptien à contrepoids qui se serait rompu.

—Hissette, traduisit Cléo, telle une mère fière de sa progéniture. Très bien, je t'appellerai Hissette.

Hissette darda sa langue vers elle d'un air approbateur.

—Où veux-tu la porter? s'enquit Deuce en caressant la tête triangulaire du petit serpent avec la pulpe de son pouce.

Cléo lui indiqua son biceps droit. Après toute une journée à dessiner des hiéroglyphes, il était légèrement plus tonique que le gauche.

Deuce enroula le corps du serpent autour du bras de Cléo. Il put faire trois boucles et demie, maintenant le serpent contre sa peau au fur et à mesure. La brillance nacrée de ses écailles tranchait sur la peau mate de Cléo comme un nuage de lait tourbillonnant dans un café.

— Deucey-chou, elle est vraiment royale !

— Heureux qu'elle te plaise. Et maintenant, ferme les yeux.

— Ça y est.

Les lueurs des cent bougies parfumées à l'ambre dansaient encore derrière ses paupières closes. Était-ce une illusion d'optique ? ou l'effet de son retour de flamme pour Deuce ?

— C'est bon, annonça Deuce. J'ai fini.

Cléo ouvrit les yeux, papillotant de ses faux cils.

— Et voilà ton caillou, dit-il en tapotant avec fierté le corps solidifié de Hissette sur le bras de Cléo.

— Elle est morte ? demanda-t-elle en caressant la tête du serpent, pas plus grosse qu'un galet.

— Non, juste provisoirement pétrifiée, dit-il avec un sourire. Elle se réveillera dans quelques heures, parfaitement reposée. (Cléo lui rendit son sourire.) Tu me pardonnes, dis ?

— À une condition, déclara Cléo. (Deuce acquiesça, prêt à l'entendre.) À partir d'aujourd'hui, nous sommes ensemble pour de bon. Fini les breaks quand tu pars en vacances dans ta famille en Grèce. Plus de cavalières de rechange pour aller au bal. Et plus de Mélodie.

Deuce posa une main sur son cœur et leva l'autre en signe de promesse.

Royalissime!

Cléo battit des cils pour lui signifier qu'il était pardonné. Son prince des temps modernes était arrivé.

Elle se pencha vers lui, lèvres tendues.

Deuce ouvrit la bouche.

Cléo se pencha plus près…

—On ferait mieux d'y aller.

Elle ouvrit les yeux.

—Y aller? Où ça?

—T'as pas lu tes messages?

—Euh, si, mentit Cléo, toujours aussi peu désireuse de lui avouer l'existence du pare-feu.

—Eh bien, il faut y aller.

—Mais je ne peux pas partir comme ça! Tu n'as même pas vu mes nouveaux bijoux, protesta-t-elle en traînant des pieds sur les nattes d'osier. Et le couvre-feu? Mon père ne me laissera jamais sortir. Surtout pas avec toi… Attends un peu, comment as-tu fait pour entrer, de toute façon? Il ne t'aurait jamais…

Deuce remonta ses Ray-Ban sur l'arête de son nez.

—Mes lunettes ont glissé quand Manu m'a ouvert la porte, dit-il d'un air ironique.

—Tu l'as pétrifié? s'étrangla Cléo.

—Je les ai tous pétrifiés. C'était le seul moyen de te faire sortir d'ici.

—Deuce ! le tança Cléo en tapant du pied, partagée entre l'amusement et la colère.

—Ils se réveilleront en pleine forme dans quelques heures, ne t'inquiète pas. (Deuce l'entraîna vers la porte.) Allez, viens. Faut qu'on speede.

Pour une fois, Cléo se laissa faire. En temps ordinaire, elle aurait pris la mouche et insisté pour savoir où ils allaient, mais pourquoi se gâcher la surprise ? Il lui servait de la romance comme dans un buffet à volonté, et Cléo était affamée.

À: MÉLODIE, JACKSON

26/09, 19 h 51

FRANKIE: CEST FRANKIE. VNEZ CHEZ MOI AU PLUS VITE. PASSEZ PAR-DERRIÈRE. AUCUN RISQUE. MA FENÊTRE EST OUVERTE. XXXX

À: FRANKIE

26/09, 19 h 51

MÉLODIE: TAS UN NOUVEAU TEL? TAS UN PLAN? TES PARENTS SONT OÙ? CA VA?

À: MÉLODIE

26/09, 19 h 51

FRANKIE: DÉPÊCHE! XXXX

À: JACKSON

26/09, 19 h 51

MÉLODIE: CEST QUOI LE PLAN?

À: MÉLODIE

26/09, 19 h 52

JACKSON: AUCUNE IDÉE. RDV DERRIÈRE CHEZ TOI DANS 2 MIN?

À: JACKSON

26/09, 19 h 52

MÉLODIE: PARENTS AU SALON. ILS NS VERRONT PAR LA FENÊTRE. C'EST MOI QUI VIENS.

À: MÉLODIE

26/09, 19 h 52

JACKSON: TROP DANGEREUX DE TRAVERSER LA RTE. YA DES FLICS PARTOUT.

À: JACKSON

26/09, 19 h 52

MÉLODIE: JE RISQUE MOINS QUE TOI. J'ARRIVE.

CHAPITRE 6

UNE NUDISTE CHEZ LES RAD

Cette coupure de courant était un vrai miracle.

Six lampes à pétrole avaient été disposées stratégiquement dans le chalet des Carver, dont les flammes blanches dispensaient quelques miettes de lumière dans une maison autrement plongée dans le noir.

Se déplaçant sans bruit entre les zones d'ombre, Mélodie parvint jusqu'à la porte d'entrée sans se faire repérer. Dissimulée dans une flaque d'obscurité, elle saisit la poignée de cuivre et attendit le signal de sa sœur.

Finalement, elle avait eu raison de mettre Candace au courant de l'ultimatum de Bekka menaçant de diffuser la vidéo de Jackson dans les médias. Cela s'était révélé très bénéfique pour leur cause, que Candace avait tenu à baptiser NUDI, pour Normies Unis contre la Discrimination Imbécile.

—Pourquoi pas un sigle plus politique, genre NCR: Normies Contre le Racisme, tenta Mélodie.

Candace leva les yeux au ciel.

— Et pourquoi pas NARCO tant que tu y es : Normies Anti-Racistes Craignos de l'Oregon. Sérieux, tout est dans l'évocation et la perception, expliqua-t-elle avec une autorité autoconférée. NCR, ça ne fait rêver personne. Alors que NUDI ? Qui n'aurait pas envie d'entrer chez les NUDIstes ?

— Ben, moi, pouffa Mélodie.

Puis elle avait pris connaissance du message urgent de Frankie.

Le débat était clos. L'heure était venue de mener à bien leur première mission – que Candace avait affublée du nom de code de NUDIstes EN CAVALE – qui allait démarrer dans trois… deux… une…

— M'man ? appela Candace depuis le palier du premier étage. P'pa ?

Couverte par la voix stridente de sa sœur, Mélodie tourna la poignée grinçante et la porte s'ouvrit. La bande-son d'un orage se déchaînait en arrière-plan.

— Oui ? répondirent ensemble ses parents.

— Melly est allée se coucher et je m'ennuie ! Ça vous dit, une partie de Unoooooooooo ?

— Évidemment ! répondit Glory depuis le salon sur un ton suspicieux, mais agréablement surpris.

— Je vous le refais : ça vous dit une partie de Unoooooooooo ?

— Oui ! répondit de nouveau sa mère.

— Unoooooooooooo !

Mélodie gloussa en refermant la porte derrière elle, ne doutant plus une seconde du dévouement de sa sœur. Pour Candace, jouer au Uno avec les parents un samedi soir était le sacrifice ultime. Preuve qu'elle n'était plus seulement une complice sur ce coup-là, mais une partenaire à part entière.

La rue était glacée et silencieuse. Une ombre épaisse frangée de pluie recouvrait Radcliffe Way comme un poncho de laine détrempé. La balancelle du porche swinguait en gémissant. Les branches s'agitaient et les feuilles mouillées claquaient au vent. La lumière des bougies dansait derrière les fenêtres obscures des maisons voisines. Comme la nuit dernière, lorsque les gobelets de carton et les canettes bruissaient sous ses pieds dans le parking du lycée déserté, Mélodie avait l'impression d'avoir débarqué dans le décor d'un film d'horreur de série B. Pourtant, elle n'avait pas peur – du moins, pas pour elle.

Elle marqua un arrêt sous le porche, guettant le crissement des pneus d'une voiture de police en patrouille.

Rien.

C'était le moment d'y aller.

Une rafale de vent hurla. Rabattant la capuche de son sweat noir sur sa tête, elle descendit en toute hâte les marches du perron et traversa la route au pas de course, mouillant rapidement ses Converse roses.

Une fois qu'elle eut contourné la petite maison accueillante de Jackson (un sursaut d'optimisme même au cœur des temps les plus sombres), Mélodie s'enfonça dans la ravine.

— Qu'est-ce qui t'a retenue si longtemps ? chuchota Jackson depuis les fourrés.

— T'es où ?

— Rallie-toi à mon cœur fluorescent, répondit-il en s'engageant dans la forêt sans même prendre le temps d'un baiser de bienvenue.

— Qu…? commença Mélodie. Oh! dit-elle en souriant en distinguant l'autocollant fluo représentant un cœur humain à l'arrière de sa casquette de base-ball.

— Je l'ai trouvé dans une boîte de céréales, expliqua-t-il en enjambant un entrelacs de branches mortes et de feuilles luisantes. C'est plus discret qu'une lampe torche.

— C'est vrai, haleta Mélodie, essayant de suivre le rythme. Comment tu t'es débrouillé pour filer en douce ?

— Je n'ai pas filé en douce. Ma mère est au courant.

— Elle t'a laissé sortir ?

— Nous avons fait un pacte, murmura Jackson. Plus de secrets entre nous. Transparence absolue. Je lui ai dit que Frankie avait besoin de moi, et elle a accepté que j'aille l'aider. Elle est à fond pour ce truc de la solidarité à l'intérieur de la communauté.

Mélodie se demanda soudain pourquoi elle n'y avait pas pensé. Ses propres parents avaient toujours fait preuve d'ouverture d'esprit et d'honnêteté envers elle. Elle leur dirait peut-être la vérité le lendemain matin… si les flics ne l'avaient pas arrêtée d'ici là.

— Et ta mère n'était pas trop inquiète ? voulut-elle savoir.

Jackson finit quand même par se retourner. Ses lunettes geek chic étaient parsemées de gouttelettes de pluie.

— Elle flippe comme une folle, oui. Mais je lui ai dit que la seule façon pour moi de lui pardonner de ne pas m'avoir mis au courant de… (il s'interrompit, au cas où des oreilles indiscrètes surprendraient leur conversation)… tu-sais-quoi était de ne plus rien nous cacher à l'avenir.

Mélodie savait en effet de quoi il parlait. Elle était au courant de tout. Que Jackson était un RAD. Qu'il descendait de Docteur Jekyll et Mr. Hyde. Qu'une réaction chimique de sa sueur transformait Jackson en Holt Hyde. Que Holt était un garçon impulsif. Qu'il était dingue de musique et que c'était un fêtard. Que ce n'était pas ce que Mélodie attendait de la vie et qu'elle devait par conséquent faire tout ce qui était en son pouvoir pour empêcher Jackson de transpirer.

— On devrait peut-être se reposer un peu, proposa-t-elle.

Passant outre à sa suggestion, il poursuivit son chemin.

— Ma mère m'a dit qu'il y avait d'autres RAD au lycée. Il n'y a pas que Frankie et moi, tu vois. C'est pas trop cool ?

Le vent secoua les arbres au-dessus d'eux et une pluie glacée inonda les joues de Mélodie. Plus que la douche surprise ou même la nouvelle de l'existence d'autres RAD, ce fut un pincement de jalousie qui la saisit. Que ferait-elle s'il ne voulait plus d'elle et préférait sortir avec des filles RAD ? Elles étaient sans doute plus intéressantes qu'elle et auraient sûrement plus de points communs avec lui.

—Tu veux bien ralentir! lança-t-elle sèchement en écartant une branche avec l'indignation d'une fille que son petit ami vient de plaquer. Y a pas le feu!

—«Pas le feu»? rétorqua Jackson. La maison de Frankie est à l'autre bout de la ravine et il y a des flics partout. Ils arrêtent tous ceux qui ne respectent pas le couvre-feu et les emmènent au poste pour les interroger. Un petit coup de chaud à cause de la nervosité et de la chaleur des spots et bonjour qui-tu-sais!

Mélodie haussa les sourcils et croisa les bras sur sa poitrine. C'était la première fois qu'elle le voyait perdre son sang-froid.

—Désolé, s'excusa Jackson, l'éclair qui avait enflammé ses yeux noisette réduit à un vacillement. Ma mère était tellement stressée, ç'a sûrement déteint sur moi. (Il se rapprocha d'elle.) Et puis, si les flics me coffrent, qui s'occupera de toi?

Il se pencha vers elle pour lui donner un long et tendre baiser, dont la sincérité lui fit l'effet d'un baume.

Qu'est-ce que vous dites de ça, les RAD?

Rassurée, Mélodie lui tendit la main.

—On ferait mieux de se dépêcher.

Il l'entraîna à travers les fourrés, le sticker vert fluo derrière sa casquette lui indiquant la route à suivre. Se frayer un chemin dans la ravine pour rester à la hauteur de Jackson n'avait plus rien d'une course-poursuite: elle n'avait qu'à suivre son cœur.

—D, t'as le feu aux fesses ou quoi? leur parvint la voix étouffée d'une fille dans le lointain. (Jackson et Mélodie se figèrent comme deux lapins effrayés.) Aaaah! les arbres m'attaquent! gémit la fille. J'ai les cheveux complètement trempés.

—Chut, répondit une voix de garçon. C'est que des cheveux.

—Tu peux parler, toi tu as un chapeau.

Jackson colla ses lèvres contre l'oreille de Mélodie.

—Ça serait pas Deu…

Elle lui mit une main sur la bouche, la chair de poule sur son bras formant comme un alphabet braille.

—Silence! insista le garçon. Tu veux nous faire tuer ou quoi?

—Ça, c'est plutôt ton truc, siffla la fille.

—Allez, on est presque arrivés.

Leurs pas résonnèrent plus fort… plus près…

« Bzzzzzzzzz. »

Les yeux de Jackson se dilatèrent d'horreur.

—*Désolée*, articula silencieusement Mélodie.

Elle fouilla aussitôt dans la poche arrière de son slim AG Jeans et éteignit son téléphone qui était en mode vibreur. Elle n'avait pas besoin de regarder l'écran pour savoir qui lui avait envoyé ce message. Son cœur était désormais habitué aux messages audio de Bekka et battait à l'unisson du décompte.

« Tic-tac… tic-tac… tic-tac… »

« Boum-boum… boum-boum… boum-boum… »

« Tic-tac… tic-tac… tic-tac… »

« Boum-boum… boum-boum… boum-boum… »

Les bruits de pas se rapprochèrent encore…

Mélodie tourna lentement ses yeux vers Jackson, se demandant si le mouvement de ses globes oculaires pouvait les trahir.

Sa mâchoire était agitée de rictus convulsifs.

Elle lui prit la main pour lui signifier que tout irait bien. Comme si elle en savait quelque chose.

Finalement, au bout de quelques secondes terrifiantes, l'autre couple s'éloigna.

Mélodie et Jackson effectuèrent le reste du chemin au pas de course sans ajouter un mot, dopés à l'adrénaline.

Des silhouettes fantomatiques apparaissaient et disparaissaient derrière la fenêtre de verre dépoli de la chambre de Frankie. Un parfum d'ambre familier flottait autour de l'ouverture rectangulaire comme un avertissement. Sans pouvoir mettre le doigt dessus, Mélodie éprouva un sentiment de malaise.

—Tu es sûr qu'on ne risque rien? demanda-t-elle en regrettant de ne pas avoir dit à ses parents où elle allait.

—Non, soupira Jackson, balayant du regard l'impasse obscure. Je ferais sans doute mieux de passer le premier.

Mélodie n'émit pas d'objection.

Il grimpa sur une souche judicieusement disposée sous la fenêtre et se hissa sur le rebord à la force des bras comme on sort d'une piscine avant de se glisser à l'intérieur. Ses boots de randonnée en nubuck touchèrent le sol avec un bruit mouillé.

La pluie se remit à tomber.

—Viens, dit Jackson en lui tendant la main. Vite.

Mélodie se glissa par l'étroite ouverture en ondulant comme un serpent. Jackson la prit par les chevilles et la tira vers lui, comme un obstétricien aidant un bébé à sortir du ventre de sa mère. Ses Converse détrempées émirent le même claquement sonore.

Le labo qu'elle avait découvert la nuit précédente en compagnie de Holt grouillait désormais de lycéens de Merston High. En dépit du faible éclairage à la bougie, elle en reconnut la plupart sans savoir leur nom. Il y en avait en pyjama, d'autres en survêtement. Certains étaient regroupés en grappes serrées, absorbés par leur discussion, d'autres assis par terre comme des voyageurs dans un aéroport dont l'avion était retardé. Certains s'exprimaient sans complexe, tandis que d'autres se mordillaient les ongles. Mais ils eurent tous la même réaction à l'instant où ils aperçurent Mélodie : ils interrompirent leurs activités et se regardèrent les uns les autres en quête d'une explication.

—Qu'est-ce qui se passe ? demanda Mélodie à Jackson.

Il retira sa casquette de base-ball et passa une main dans ses cheveux pour redonner vie à ses mèches aplaties.

—J'en ai pas la moindre idée.

—Voltage ! Vous voilà enfin, les salua Frankie avec le sourire avenant de l'hôtesse d'une fête d'anniversaire.

Mélodie lui fut reconnaissante de son accueil. Tout le monde saurait au moins qu'elle avait bien été invitée. Les conversations s'arrêtèrent, et tous les regards convergèrent vers eux.

Le cœur de Mélodie battit plus fort.

— Je croyais que tu voulais nous voir parce que tu avais un plan, dit-elle, désarçonnée par la présence inattendue de tous ces gens. L'ultimatum approche et Bekka va…

— Tout va bien, j'ai une solution, la rassura Frankie. Je vous attendais pour l'annoncer.

— Mais qu'est-ce qu'ils font tous ici ? demanda Jackson en regardant les autres. Attends ! Tu ne vas pas me dire qu'ils ont tous vu ma vidéo ? Je croyais que ça devait rester entre nous.

— Ils sont des nôtres, répondit Frankie avec un clin d'œil.

— Qu'est-ce que tu veux dire ? s'étonna Jackson, en proie à la confusion.

— Ce sont tous des RAD.

— *« Des RAD »* ? articula-t-il silencieusement en posant une main sur l'épaule verte de Frankie, dénudée par la blouse d'hôpital qu'elle portait élégamment ceinturée à la taille et dont l'encolure bâillait. J'halluciiiine !

Tandis que Mélodie passait l'assemblée en revue à la faible lueur des bougies, un mélange de peur et d'euphorie s'empara d'elle, lui faisant dresser les poils sur les bras. Elle reconnut la fille au teint pâle qui était dans son cours d'anglais… la fille super canon aux boucles auburn qui portait un boa de fourrure… la pétillante Australienne blonde obsédée par les gants… la bande de beaux gosses du catalogue Calvin Klein que Candace avait dragués le jour où elles avaient débarqué à Salem… et mince, DEUCE! *J'ai donc embrassé deux monstres en l'espace d'un mois!*

—Tous? demanda Mélodie. (Frankie acquiesça avec ravissement.) C'est pas croyable!

—Eh ouais, se rengorgea Frankie en refermant ses bras sur Jackson. Tu te rends compte? lui demanda-t-elle.

Jackson secoua la tête de gauche à droite, trop atterré pour dire un mot.

La fille au boa de fourrure dévisageait Mélodie tout en murmurant à l'oreille de la fille aux gants. Deuce dit quelque chose aux frères Calvin Klein, qui se rapprochèrent ostensiblement de Mélodie. Quelqu'un lui tapa sur l'épaule. Elle se retourna, mais ne vit personne. Cléo et ses amies pouffèrent à l'autre bout de la pièce.

Mélodie prit la main de Jackson, mais il ne parut pas s'en rendre compte. Elle était moite et amorphe dans la sienne; il ne répondait plus à son contact. Il était désormais dans les bras de Frankie, évaluant sans doute ses futurs amis. La réserve de gènes si prévisibles de Mélodie ne lui suffisait plus. Il lui fallait davantage de diversité…

Oh non! Et si toute leur histoire n'était qu'une imposture, juste pour garder à l'œil la nouvelle un peu trop curieuse? Frankie l'avait peut-être attirée ici pour servir d'otage normie – sa vie contre la vidéo de Jackson?

C'était un piège!

La panique accéléra son débit sanguin. La peur fit tinter des sonnettes d'alarme dans ses tympans. L'adrénaline expulsa Mélodie du siège conducteur et s'empara du volant. Sans réfléchir, les membres flageolants, elle écarta brutalement Frankie de Jackson, la prit par les poignets et la regarda dans les yeux.

— Je sais ce que tu veux faire, et ça ne marchera pas!

Les têtes se tournèrent de nouveau dans leur direction.

Frankie fit la grimace en laissant échapper un petit rire.

— Tu ne peux pas m'en vouloir de tenter le coup. Holt connaît déjà tout le monde ici et…

— «Holt»?

— C'est pour ça que tu me serrais si fort? demanda Jackson en se dégageant pour allumer son ventilateur portatif. Tu voulais me donner chaud?

Frankie hocha la tête d'un air coupable.

— Je veux que Holt entende ce que j'ai à dire.

L'adrénaline rendit le volant à Mélodie et se retira, fort gênée de son coup d'éclat.

— Je ne suis pas un otage, alors?

Jackson la regarda avec stupéfaction et Frankie éclata de rire. Sa peau couleur menthe à l'eau semblait toute douce à l'endroit où ses sutures avaient été renforcées.

— Tu cicatrises hyper vite, dit Mélodie, tentant maladroitement de tout reprendre à zéro. Les patients de mon père mettent plusieurs semaines à récupérer.

—Ah bon ? Il fait quoi comme métier, ton père ? demanda Frankie avec un intérêt sincère.

—Chirurgien esthétique, grommela Mélodie en montrant son nouveau nez qu'il avait nettement amélioré.

—Pas possible ! (Frankie passa un bras autour des épaules de Mélodie et l'attira contre elle.) On a plein de choses en commun !

Tu crois ça ?

Encadrant son menton de ses mains, Frankie battit des cils.

—Un p'tit minois, cadeau de papa !

Elle rayonnait. Son acceptation de l'étrangeté de la situation avec autant de grâce et de bonne humeur mit Mélodie à l'aise.

« Paf ! » Quelqu'un tapa dans le dos de Jackson, le projetant quelques pas en avant.

—Content que tu sois enfin des nôtres, Double-Face.

Malgré ses efforts, Mélodie ne put distinguer personne dans le noir.

—Qui a dit ça ?

Jackson rajusta maladroitement ses lunettes sur son nez.

—Je vous présente Billy. (Frankie désignait l'espace vide à côté d'elle.) Il est invisible, et c'est l'ami le plus voltage qu'une fille puisse avoir. (Elle donna un baiser dans l'air.) Le seul truc, c'est qu'on ne peut pas lui faire de gros câlin, parce qu'il se balade toujours à poil, ajouta-t-elle en rigolant.

—Bienvenue parmi nous, dit Billy.

Un paquet de Kréma apparut soudain dans les airs. Un bonbon à la cerise fut brièvement exposé avant de disparaître dans la bouche de Billy.

—Merci, répondit Jackson en souriant au papier d'emballage qui flottait dans les airs.

—Viens, je vais te présenter les autres, l'invita Billy en tirant Jackson au milieu du labo.

Jackson se tourna vers Mélodie, un masque d'appréhension plaqué sur le visage, mais se laissa entraîner sans résister. Alors elle le laissa partir.

—C'est trop cool, dit Mélodie à Frankie, tentant de montrer à ceux qui l'observaient qu'elle se débrouillait très bien sans Jackson, même si c'était loin de la vérité.

Elle ferait sans doute mieux de se présenter, de leur montrer qu'elle s'intéressait sincèrement à eux, de leur demander à tous qui ils étaient, quels étaient leurs particularités, qui étaient leurs ancêtres et pourquoi ils…

—Au nom de Geb! qu'est-ce qu'elle fait ici, celle-là? demanda Cléo d'un ton au vitriol mâtiné d'ambre.

Pas étonnant que cette odeur ait gêné Mélodie en arrivant! Depuis leur première rencontre, Cléo l'avait toujours traitée comme une collégienne de seconde zone. Une attitude blessante et humiliante qu'elle ne connaissait que trop bien.

—Attends un peu! (Cléo tapa d'un pied chaussé de sandales compensées sur le sol de béton ciré.) Ne me dis pas que c'est une… (Frankie secoua la tête.) Qu'est-ce qu'elle fait là, alors?

Deuce s'approcha, une bougie allumée à la main.

—J'hallucine, rigola-t-il d'un air cool. Tu es une RAD ? (Cléo lui donna un coup de coude.) Qu'est-ce qu'elle fait là, alors ? marmonna-t-il.

Cléo fusilla Frankie du regard dans l'attente d'une réponse.

—Elle est là parce que j'ai une déclaration à faire et que je veux qu'elle l'entende.

—Il y a d'autres taupes ici dont je devrais connaître l'existence ? demanda Cléo en faisant tourner le bracelet iridescent en forme de serpent qui ornait son biceps.

—Cléo ! la reprit Frankie. C'est mon amie.

Cela fit chaud au cœur de Mélodie.

—Stein, souffla Cléo. On ne peut pas faire confiance à cette fille ! Tu es encore en train de nous mettre en danger.

Frankie cracha des étincelles.

—C'est justement l'inverse que je m'apprête à faire. (Avec un clin d'œil à Mélodie, elle se dirigea vers la table d'opération.) Puis-je avoir votre attention à tous, s'il vous plaît ? appela-t-elle à mi-voix.

Elle prit appui sur la surface métallique et se hissa avec légèreté sur le lit. Elle balançait ses pieds nus dans le vide comme une petite fille, mais son regard sombre était grave comme celui d'une adulte.

—Tout d'abord, commença-t-elle, je voudrais remercier Billy de vous avoir tous réunis ici.

Ils se mirent à applaudir. Frankie agita les mains pour les faire taire.

—Chut, leur rappela-t-elle, un doigt sur les lèvres.

Le vent s'engouffra en sifflant par la fenêtre ouverte, glaçant la nuque de Mélodie. Jackson lui fit signe de venir le rejoindre avec les autres, mais elle secoua la tête. Le filet d'air froid était un rappel rassurant de la présence d'une sortie de secours à quelques centimètres.

—Merci également à vous d'être venus, poursuivit Frankie. Je sais combien c'est dangereux de sortir en ce moment, et ça compte des mégawatts que vous soyez tous là. J'ai cru sérieusement que vous me détestiez.

Frankie gloussa. Mélodie sourit de plaisir devant l'honnêteté désarmante de sa nouvelle amie. Frankie poussa un soupir.

—La nuit dernière, déclara-t-elle, reprenant son sérieux, on peut dire que j'ai…

—… perdu la tête? lança un des athlètes Calvin Klein d'un ton badin.

Ses frères lui tapèrent dans la main.

Frankie fit mine de tripoter les sutures de son cou, mais dut se raviser, car sa main retomba.

—Je me sens hyper mal du fait que vos vies soient en danger à cause de moi. Je suis vraiment désolée. Je veux que les choses changent. Je ne veux plus me faufiler en douce dans une ravine en profitant des coupures de courant. Je ne veux plus porter de fond de teint chair pour avoir la couleur d'une normie au lycée. Je veux que nous puissions être fiers de ce que nous sommes et nous faire accepter des…

—De Mélonase? cria Cléo en désignant Mélodie dont les joues s'empourprèrent.

Les RAD émirent des petits rires, d'abord légers, puis qui s'accentuèrent jusqu'à tourner à l'hystérie. Pas réellement parce qu'ils trouvaient que Cléo était drôle, mais parce qu'elle avait dit tout haut ce qu'ils pensaient tout bas, et qu'ils avaient manifestement besoin de se défouler.

Soudain, Jackson fut au côté de Mélodie et glissa un doigt dans la boucle de sa ceinture en guise de soutien. Elle était trop paniquée pour le remercier.

— Hé! t'es pas la meilleure amie de Bekka? l'interpella une fille qui ressemblait à un zombie.

— Vérifiez son téléphone! exhorta un garçon au nez en bec d'aigle. Je parie qu'elle poste des tweets sur nous en ce moment.

— C'est une espionne!

La bouche de Mélodie s'assécha.

— Non! je ne suis plus l'amie de Bekka, réussit-elle à dire d'une voix rauque et hésitante. Je viens d'arriver à Salem. Quand je l'ai rencontrée la première fois, je n'avais aucune idée de ce qu'elle était. Croyez-moi, je veux l'empêcher de nuire autant que vous.

— Ouais, c'est ça, dit un garçon qui avait de grands pieds et une masse de cheveux noirs hirsutes. Elle est sûrement en train de s'amener avec des journalistes de TMZ grâce aux infos que tu leur as filées.

Mélodie déglutit. Soudain, le simple fait de respirer lui donnait l'impression de boire une crème dessert à la paille.

Cléo sourit comme le chat du Cheshire. Elle n'avait eu qu'à planter la graine, faire un pas en arrière et regarder pousser la haine.

Ce n'est pas comme ça que ça s'est passé, voulait leur crier Mélodie. *Bekka s'est retournée contre moi aussi. J'ai plus en commun avec vous que vous ne croyez. Ne vous arrêtez pas à mon apparence et à la symétrie de mon visage. Regardez mes yeux ! Je sais l'effet que ça fait d'être jugée !* Mais sa voix, cette voix qui donnait des récitals et tenait la vedette dans des comédies musicales avant que son asthme s'en mêle, l'avait abandonnée. Elle s'était recroquevillée en position fœtale au fond de son larynx et n'osait plus sortir, redoutant qu'on se moque d'elle et qu'on la malmène une fois encore.

Redoutant de gâcher sa dernière chance de prendre un nouveau départ.

—Mélodie est de notre côté, déclara Jackson.

—Qu'elle s'en aille ! s'écria le yeti hirsute.

—Non, dit l'un des frères Calvin Klein. Ne la laissez pas partir. On peut avoir besoin de la garder à l'œil.

—Ou peut-être sous la dent ? renchérit un de ses frangins en se pourléchant les babines.

Ses copains hurlèrent de rire.

Mélodie agrippa le bras de Jackson pour ne pas perdre l'équilibre. Il mit son ventilateur en marche pour se rafraîchir le visage.

—Arrêtez ! les rabroua Frankie en jetant des étincelles. Ce n'est pas Mélodie notre ennemie, d'accord ? C'est Bekka.

—C'est sa complice, alors!

—Pas du tout! protesta Mélodie, les lèvres tremblantes.

—Prouve-le!

—Ouais! prouve-le!

Frankie tapa une fois dans ses mains.

—Ohé, les gens! Ça n'a pas d'importance, parce que…

—Moi, je peux le prouver, l'interrompit Jackson.

—Comment ça?

—Parce que Bekka m'a aussi joué un sale tour, dit-il.

Mélodie hoqueta. *Il veut sauver ma peau ou me faire trucider?* Une fois qu'ils sauraient que c'était dans son téléphone que Bekka avait trouvé la vidéo de Jackson, ils l'enchaîneraient sur le manège et la forceraient à écouter cette musique de clown flippante jusqu'à lui en faire exploser la tête.

—*Ka*, intervint brusquement Cléo. Qu'est-ce que tu as à voir dans tout ça?

—Bekka a trouvé une vidéo de moi en train de me transformer en Holt. Elle la fera passer aux infos si Mél… (Il s'interrompit, comprenant soudain dans quel mur il fonçait.)… si je ne lui dis pas où se cache Frankie.

—Comment se l'est-elle procurée, cette vidéo? insista Cléo.

—Elle se l'est procurée comment? balbutia Jackson. Euh…

Merde, merde, merde, c'est pas vrai! songea Mélodie. *Il faut que je sois forte. Je vais m'en sortir. Je ne dois pas avoir peur. Je dois leur dire la vérité. Je vais…*

— Dans mon téléphone, lâcha Jackson. Je l'ai perdu au bal et c'est Bekka qui l'a trouvé.

Les épaules de Mélodie reprirent leur place dans leur cavité articulaire. *Il a vraiment fait ça pour moi ?* Elle lui serra la main avec reconnaissance, et il lui rendit la pareille.

— Affaire résolue. On passe à la suite, dit Cléo. Il est temps de reprendre le cours de nos vies d'avant.

— Plus facile à dire qu'à faire, s'exclama Billy. Y a une méga chasse aux sorcières là-dehors.

Cléo poussa un grand soupir. Sa frange fit la ola avant de retomber en place.

— Je sais pas. Frankie, ton père pourrait peut-être te mettre hors service pour un temps et te remettre en route quand les choses se seront tassées, non ?

Ses amies pouffèrent derrière leurs mains.

— Et moi ? demanda Jackson en s'éventant le visage. Qui va me mettre hors service ?

Bien envoyé ! songea Mélodie en lui serrant la main.

— Je peux demander à mes gens de te momifier pour quelques années, suggéra Cléo en haussant les épaules comme s'il n'y avait rien de plus simple.

Ses amies gloussèrent de nouveau. Mélodie avait envie de leur lancer à la tête les éprouvettes qui se trouvaient sur le plan de travail en acier.

— T'es vraiment la reine du déni, de Nile, se moqua Jackson.

Et toc ! Mélodie lui serra encore une fois la main.

Tout le monde éclata de rire.

Cléo fit pianoter ses doigts sur les anneaux d'or qu'elle portait aux oreilles avec une royale indifférence.

—Mes amis! les interrompit finalement Frankie. Tout cela n'a aucune importance! Ça ne compte pas, parce que j'ai décidé de me livrer à la police.

Tout le monde en eut le souffle coupé.

—Tu es folle!

—Tes parents sont d'accord?

—Tu me laisseras ton maquillage?

—C'est du suicide!

—C'est la meilleure solution. C'est moi que la police recherche, pas vous, expliqua-t-elle en véritable héroïne. (Sans les étincelles qui s'échappaient de ses mains, personne n'aurait remarqué sa nervosité.) Bekka ne s'arrêtera pas avant de m'avoir fait payer le baiser que j'ai échangé avec Brett, alors…

—Wahou! l'encouragea à mi-voix la fille canon à l'étole de fourrure. T'es une bête, Frankie!

Les amies de Cléo applaudirent silencieusement Frankie et son baiser de la mort. Dans un moment de légèreté qui fit du bien à tout le monde, elle se mit debout sur la table d'opération pour saluer son public.

—Stop! hurla Cléo. Que personne ne bouge! Hissette a disparu! (Tout le monde se détourna de Frankie.) Mon bracelet! Mon serpent! Elle s'est sauvée!

Tous cherchèrent frénétiquement le reptile.

—C'est peut-être le moment de ficher le camp, murmura Mélodie au milieu du chaos.

Jackson acquiesça et se dirigea vers la fenêtre.

—Chopez-moi ce rampant! cria l'Australienne en montrant du doigt l'aquarium sur la paroi duquel progressait le serpent.

Frankie bondit de la table d'opération.

—Attrapez-le avant qu'il avale les Glitterati tout crus!

—C'est pas «il», c'est «elle», siffla Cléo en se précipitant sur l'animal.

Deuce fut plus rapide. Il s'approcha de Hissette, qu'il cueillit entre ses mains en coupe.

—Fermez les yeux, tout le monde! lança-t-il en guise d'avertissement.

Frankie s'empara des cinq rongeurs recouverts de paillettes et leur cacha la tête contre ses lèvres. Mélodie et Jackson oublièrent la fenêtre et obtempérèrent.

—C'est bon, vous pouvez les ouvrir, annonça Deuce.

Il remit le serpent en place autour du bras de Cléo, que ses amies regardaient avec envie. Elle le remercia d'un baiser sur la joue.

—Ce serpent était vivant? chuchota Mélodie à l'oreille de Jackson.

—Hon, hon, grommela-t-il.

—Et maintenant, il est en pierre? chuchota-t-elle encore.

—Oui, et je suis presque sûr que c'est Deuce qui a fait ça avec ses yeux, marmonna Jackson derrière sa main.

Mélodie hocha la tête, comprenant soudain pourquoi Deuce s'était énervé quand elle lui avait enlevé ses lunettes de soleil au bal.

—Hé! Frankie, tu saisis maintenant? l'interpella Cléo, suffisamment fort pour que tout le monde puisse l'entendre.

—Quoi?

—Inviter une normie chez toi, c'est comme inviter mon serpent à jouer avec tes souris.

—Ce sont des rats, la corrigea Frankie.

—Et elle, c'est une taupe! répliqua Cléo en tapant du pied, un doigt tendu vers Mélodie.

C'est alors que les lumières se rallumèrent. Saisis de panique, tous les RAD se ruèrent vers la fenêtre et filèrent chez eux sans même prendre congé.

Alors qu'elle courait main dans la main avec Jackson dans la ravine sombre et détrempée, Mélodie aurait dû bondir de joie au-dessus des branches mortes et surfer sur les flaques de boue. Après tout, Frankie allait se livrer à la police! Bekka détruirait la vidéo de Jackson! Il n'y aurait plus de « tic-tac… tic-tac… tic-tac… » Tout était terminé.

Pourtant, ses membres lui paraissaient si lourds qu'elle avait du mal à suivre le rythme. Comme dans ses rêves où elle courait sur place, elle avait l'impression de ne pas avancer. Trop monstrueuse pour Beverly Hills. Trop normale pour Salem. Trop zarbi pour les normies. Trop banale pour les RAD.

À quoi bon courir? Mélodie avait envie de se laisser tomber sur un tas de feuilles glissantes pour contempler le ciel sans lune. De laisser les nuages la recouvrir jusqu'à la faire disparaître. D'abandonner ses rêves au vent. Mais, chaque fois qu'elle faisait mine de ralentir, Jackson la tirait en avant et l'obligeait à continuer.

CHAPITRE 7
TOMBÉ DU CIEL

Frankie se réveilla le visage pressé contre la paroi de verre de la cage des Glitterati. Ils n'avaient pourtant pas besoin d'être réconfortés. Ils ne craignaient plus rien depuis que Hissette avait été retransformée en caillou par Deuce. Quant aux grondements de l'orage, ils s'étaient atténués quand le courant était revenu, et les rats couverts de paillettes dormaient paisiblement, serrés les uns contre les autres comme des donuts saupoudrés de vermicelles multicolores dans une boîte transparente. C'était Frankie qui avait besoin de réconfort cette fois-ci. Se livrer à la police signifiait qu'elle ne reverrait peut-être jamais ses parents. Qu'elle ne connaîtrait pas le bal de promo ni l'université. Qu'elle ne conduirait pas de voiture et ne prendrait jamais l'avion. Qu'elle ne serait pas P.-D.G. de Sephora et n'irait jamais en vacances aux Bahamas. Et, pire que tout, qu'elle n'échangerait jamais avec Holt un baiser à tout casser comme avec Brett.

Oui, elle avait pris la décision de se rendre à la police sur un coup de tête. Elle s'était laissé emporter par la vague de gratitude qu'elle avait éprouvée en voyant tous ses amis braver le couvre-feu pour lui manifester leur soutien. Ils avaient risqué leur vie pour elle, elle pouvait bien risquer la sienne pour eux. Surtout que toute cette histoire de chasse aux monstres était sa faute, pour commencer. Et que le risque qu'elle allait prendre mettrait un terme aux patrouilles de police et rendrait à tous les RAD leur liberté. Ils seraient « libres » de cacher la couleur de leur peau, leurs crocs de vampire, leur fourrure de loup-garou, leurs écailles de créature marine, les serpents sur leur tête, les réactions chimiques de leur sueur ou leur invisibilité. Mais, pour Frankie, ce n'était certainement pas ça, la liberté.

— Vous voulez un peu d'ironie ? grommela Frankie en reposant la cage des Glitterati sur la table d'acier près de son lit. Je me suis battue pour la liberté, et tout ce que j'ai gagné c'est d'en être privée. Et ça ne va pas aller en s'améliorant. (Ils froncèrent leur petit museau rose.) Merci. (Frankie essaya de sourire.) Je vous aime aussi.

— À qui parles-tu ? demanda son père, qui venait d'entrer sans frapper.

Il semblait que le « droit à l'intimité » était venu s'ajouter à la liste de ce dont Frankie avait été privée, après le contact visuel, la vie en société, la vie de famille, son téléphone portable, le lycée, la télé, la musique, sa garde-robe top voltage, Internet, la déco de sa chambre, ses bougies parfumées à la vanille et le droit de respirer.

Frankie cacha son nouvel iPhone sous ses couvertures.

—Aux rats, répondit-elle. Je n'ai pas beaucoup de compagnie, ici, tu sais. (Pour toute réponse, Viktor se contenta de traverser le labo dans sa blouse blanche de travail en raclant le sol de béton ciré de ses vieilles UGG usées pour aller rassembler ses outils.) Qu'est-ce que tu vas faire? demanda Frankie.

La suggestion de Cléo de la mettre hors service jusqu'à ce que les choses se tassent aurait-elle filtré dans son inconscient à travers la paroi pendant qu'il était en train de charger?

—Je vais nous fabriquer un chien, dit-il en posant bruyamment ses outils sur la table d'opération.

Frankie roula précipitamment ses couvertures (et son iPhone de contrebande), qu'elle fourra en tas au bout de la table près de la fenêtre. Le soleil brillait. Il y avait de l'espoir.

—Voltage! Je vais t'aider, proposa-t-elle.

—Ce n'est pas la peine, dit-il en s'adressant à la pile d'instruments métalliques entassés sur la table. Je préfère travailler seul.

Il alluma le Cyclope d'une chiquenaude, refusant de soulever ses lourdes paupières pour regarder sa fille.

—Je pourrais t'aider à teindre la fourrure, par exemple, insista-t-elle. Que dirais-tu d'un chien rose avec des cœurs verts? Ça serait vraiment trognon, non? (Viktor poussa un soupir sonore puis se passa une main dans les cheveux.) Papa, implora Frankie en tirant le tissu rêche de la manche de sa blouse blanche. Regarde-moi.

Viveka entra dans la pièce avec une tasse de café fumante pour son mari.

— Ton père a besoin de travailler seul, aujourd'hui.

Pieds nus, emmitouflée dans une robe de chambre en velours chenille noir, on aurait dit qu'elle était grippée. Elle avait le teint vert-de-gris, ses yeux violets étaient rougis et ses cheveux noirs ébouriffés. Elle posa la tasse de café sans bruit à côté de son mari. Avide de retrouver ne serait-ce que quelques miettes de sa vie d'avant, Frankie se pencha vers sa mère, cherchant désespérément l'odeur de son huile corporelle au gardénia. Mais le parfum fleuri n'était plus là.

— Pourquoi a-t-il besoin de travailler seul ?

— Parce que s'occuper les mains à bricoler l'aide à canaliser son stress, expliqua sa mère, sans lever les yeux.

— Il est stressé à cause de moi, c'est ça ?

À l'instar de Viktor, les yeux las de Viveka fouillèrent le labo, se posèrent sur la table… sur les outils… partout, sauf sur Frankie.

— C'est ça ? (Ses parents baissèrent les yeux.) C'est bien ça ?

Frankie lança des étincelles. Son angoisse vint se briser sur les murs nus. Ses parents ne disaient toujours rien.

— Dites quelque chose ! Dites-moi que vous êtes fâchés contre moi ! Reprochez-moi tous les ennuis que je vous ai causés ! Dites-moi que vous ne m'aimez plus ! Mais dites quelque chose !

La peur et la frustration mêlées se frayèrent un chemin en elle comme une double hélice de colère, qui progressa en tournoyant jusqu'au plus profond de son être, ébranlant ses fondations mêmes. Incapable de se contenir plus longtemps, Frankie balaya les outils de son père d'un revers de la main et les envoya valdinguer par terre dans un fracas assourdissant.

Viktor les contempla d'un regard vide. Viveka se massa le front. Frankie éclata en sanglots.

Viveka finit par regarder sa fille dans les yeux.

—Comment peux-tu croire une seule seconde que nous ne t'aimons pas, Frankie? C'est justement à cause de l'amour que nous te portons que nous sommes dans cet état. (Cette connexion visuelle tant attendue provoqua un afflux d'énergie dans le corps de Frankie.) Mais il y a tellement de choses en jeu et... (Elle posa sa main sur le bras de Viktor.) Nous sommes des scientifiques, mais aucune science ne peut te mettre à l'abri de ce qui te menace; nous nous sentons dépassés par les événements et...

—Eh bien, vous n'aurez plus à vous inquiéter de tout ça, dit Frankie en souriant bravement. (Elle ramassa les outils éparpillés sur le sol et les empila sur la table devant son père.) J'ai décidé de me livrer à la police.

—Certainement pas! explosa Viktor, avec un coup de poing sur la table qui ébranla la pile reconstituée.

—Frankie, ma chérie, que veux-tu prouver? demanda Viveka, les larmes aux yeux.

—Rien du tout, maman, répondit Frankie, se préparant à lui servir son discours habituel sur sa soif de changement et de liberté.

Elle s'interrompit pourtant, de crainte d'avoir l'air aussi barbante que Buffy dans la saison 7. La tueuse de vampires hypra cool des premières saisons aurait carrément pu les faire mourir d'ennui sur la fin avec ses sermons lénifiants sur la cause qu'elle défendait. Assez en tout cas pour que Frankie transforme ses DVD en présentoirs à vernis à ongles.

—Je veux seulement faire le bon choix.

—C'est une noble décision, dit Viktor en posant ses mains à plat sur la table d'opération pour regarder Frankie. Mais, si tu veux vraiment faire le bon choix, prends le temps de réfléchir un peu avant d'agir. Ne pense pas seulement à toi et à la mission que tu t'es assignée, mais aux gens que ta décision pourrait faire souffrir.

—J'ai pensé à tout ça, justement, expliqua Frankie. Me livrer à la police rendra service à tout le monde. Ce sera la fin de tous vos ennuis.

—Mais tu ne te rends pas service à toi-même, et tu te mets en danger, dit Viktor. Et nous en souffrirons. (Ce fut Frankie qui détourna les yeux, cette fois-ci.) J'ai implanté dans ton cerveau quinze années de savoir et de connaissances, poursuivit Viktor. À toi d'en faire ce que bon te semble mais, je t'en prie, songe à ta sécurité. Te rendre à la police est peut-être une noble décision, mais ce n'est pas la plus sûre.

Viveka hocha la tête.

—Laissons ton père bricoler. Je parie que quand il aura terminé ce chien il…

La vitre de verre dépoli de la fenêtre s'ouvrit et se referma dans un claquement.

—Excusez-moi de vous interrompre, dit une voix masculine.

—Billy?

—Oui, répondit-il timidement.

—Billy Phaidin? voulut s'assurer Viktor, qui le connaissait des réunions de RAD.

—Oui, hum, bonjour, monsieur et madame Stein. (Billy s'empara d'un des draps de Frankie sur le tas près de la fenêtre et s'en enveloppa.) Je suis là. (Une silhouette ressemblant à un nem se déplaça maladroitement vers eux.) Je sais que ça ne se fait pas d'entrer chez les gens sans y avoir été invité, mais croyez bien que je ne ferais jamais un truc pervers ou flippant. (Frankie gloussa.) J'ai préféré éviter de sonner pour ne pas attirer l'attention sur votre maison en vous obligeant à ouvrir la porte à un type invisible, mais j'ai quelque chose à vous dire, expliqua Billy. À toute la famille. (Viktor haussa ses épais sourcils et le regarda avec expectative.) Je sais comment empêcher Frankie de se livrer à la police, dit Billy.

Oh oh!

—Comment sais-tu qu'elle avait l'intention de se livrer à la police? demanda Viveka.

—Euh... je...

—Il a dû entrer par la fenêtre juste au moment où je vous l'ai annoncé, bredouilla Frankie.

—Exact, confirma Billy. J'ai eu un peu de mal à me faufiler, alors j'ai entendu ce que vous disiez avant d'entrer.

J'ai pris un peu de poids pendant l'été, surtout au niveau des cuisses. Vous ne vous en êtes peut-être pas rendu compte parce que ce drap m'amincit, mais…

Viktor se gratta l'arrière de la tête.

—Si tu viens juste de nous entendre, comment pouvais-tu venir chez nous dans l'intention de…

—C'est quoi, ton plan? l'interrompit Frankie, coupant court aux interrogations.

—Je me peins la peau en vert, j'enfile une jolie petite tenue branchée pour qu'on me prenne pour Frankie et je me livre à la police. Ensuite je me démaquille et je me déshabille. Je suis de nouveau invisible et je prends la tangente.

Frankie était rayonnante.

—Tu trouves mes tenues jolies et branchées?

—Frankie! la réprimanda Viveka. On parle sérieusement.

Viktor croisa les bras sur sa blouse de travail.

—Si la police croit que Frankie s'est échappée, ils la chercheront de nouveau.

—Pas si je laisse un tas de boulons et de fils derrière moi. Ils penseront qu'elle s'est mise hors service par désespoir, répondit Billy. Ensuite, Frankie n'aura plus qu'à se débarrasser de ses mèches, à porter son maquillage et des vêtements d'homme et elle pourra retourner au lycée. Les normies ne se douteront pas que c'est elle qui a roulé une… Enfin… à leurs yeux, Frankie Stein n'est qu'une élève comme les autres. Pas le mystérieux monstre vert dont la tête s'est décrochée au bal.

—Hum.

Viktor réfléchissait à ce que Billy venait de dire.

Viveka soupira.

—Je ne sais pas. Qu'en penseront tes parents? Tout le monde nous reproche déjà de mettre leurs enfants en danger. Ce n'est pas très responsable.

—Bah, ils sont cool avec ça. J'ai déjà… (Frankie donna un coup de coude dans le nem de drap blanc.) Je veux dire, vous avez raison, se reprit Billy. Je leur demanderai d'abord la permission. Mais pour la petite histoire, sachez que mon père m'a déjà autorisé à espionner les cuisines du Kentucky Fried Chicken pour connaître la recette de leurs sept épices secrètes. Et ma mère m'a demandé de filer la trésorière de l'association des parents d'élèves pour voir si elle ne piquait pas dans la caisse. Tout ça pour dire que ça ne leur pose pas de problèmes quand c'est pour la bonne cause.

—Tu ferais ça pour nous? demanda Viveka.

—À une condition, dit Billy.

—Laquelle? s'enquit Viktor.

—Laissez Frankie se battre.

Frankie sourit. Elle savait exactement où il voulait en venir.

—Pardon?

Billy fit un pas vers les Stein.

—Frankie veut changer les choses, et c'est la seule personne que je connaisse qui ait assez de courage pour s'y attaquer, dit-il. Ça fait longtemps que j'attendais la venue de quelqu'un comme elle. Que nous l'attendions tous. Il faut la laisser faire.

—C'est un combat perdu d'avance, dit Viktor. Crois-moi. On a tous essayé à un moment ou à un autre. On a tous perdu.

—Avec tout le respect que je vous dois, nos parents ont perdu. Pas nous, insista Billy. Mais nous avons grandi bercés par les histoires d'horreur de votre génération, et personne n'a jamais osé se battre. Jusqu'à Frankie. Laissez-la au moins essayer.

Viktor et Viveka soupirèrent si fort que, même s'ils avaient brandi le drapeau blanc de la reddition, leur souffle l'aurait fait s'envoler.

Frankie passa son bras autour des épaules de Billy et le serra contre elle pour lui montrer combien elle appréciait ses efforts. *Qui aurait cru qu'il était aussi bien bâti ?* Ce garçon commençait vraiment à lui plaire. C'était à ses parents de trouver un moyen de la tirer d'affaire. C'était leur boulot, pas celui de Billy. Pourtant, il était toujours là pour elle.

—Je devrais pouvoir fabriquer un masque de Frankie en deux petites heures seulement. J'ai encore le moule, dit Viktor.

—Brrr, ça fait froid dans le dos ! frissonna Frankie.

—Et je te prêterai la perruque que je porte les jours où je ne peux rien faire de mes cheveux, proposa Viveka.

—Je suis si facile que ça à remplacer ? demanda Frankie, légèrement blessée.

—Loin de là.

Viktor contourna la table de métal et prit sa fille dans ses bras. Il sentait le café et le soulagement.

—C'est bien pour ça que nous allons accepter la proposition de Billy.

—Vous êtes d'accord? demanda Billy.

—Mais tu devras nous tenir au courant de la progression de ton plan à toutes les étapes, se laissa fléchir Viktor. Et si tu veux « te battre », il va falloir y réfléchir et t'armer de patience, parce que je te préviens que le combat sera long et éprouvant.

—Voltage! s'exclama Frankie en les serrant tous dans ses bras. Je ne vous laisserai pas tomber, cette fois. Je vous le promets.

Elle rompit soudain leur étreinte pour se ruer vers la fenêtre.

—Où vas-tu? s'étonna son père.

—Chercher mon téléphone. Il faut que j'envoie un message à Mélodie pour lui expliquer le nouveau plan. C'est elle qui livrera FrankiBilly à Bekka et…

—D'où sors-tu ce téléphone? demanda Viveka.

Frankie s'arrêta et se tourna vers le nem de drap blanc avec un sourire mégawatt.

—Il est tombé du ciel.

Et, pour la première fois depuis ce qui lui semblait être une éternité, ses parents lui rendirent son sourire.

CHAPITRE 8

AMIE OU ENNEMIE ?

Allongée sur l'îlot de sable de sa chambre, un genou replié, un bras abandonné au léger courant des eaux du Nil, Cléo savourait un dimanche presque parfait. Chauffée par les rayons du soleil et rafraîchie par le balancement paresseux des joncs, elle poussa un profond soupir. À part quand elle écartait les doigts pour laisser les eaux fraîches de la rivière couler au travers, elle n'avait pas bougé depuis des heures.

Tout le monde au palais faisait la sieste pour se débarrasser du léger mal de tête dû à la pétrification de Deuce, mais la migraine de Cléo était tenace. Sa cause ? La présence d'une normie à leur réunion de RAD de la veille. Et qui plus est une normie super canon qui avait roulé une pelle à Deuce et dont la meilleure amie, Bekka, avait déclenché la nouvelle chasse aux monstres qui avait terrorisé leur communauté, imposé un couvre-feu qui l'empêchait de voir son amoureux et incité son père trop protecteur à couper toutes les communications cellulaires entre le palais et l'extérieur.

Sérieux, Mélonase leur avait-elle jeté à tous une sorte de sortilège de normie, ou quoi ? Elle avait une mystérieuse influence sur Jackson et Frankie. De quelle autre façon aurait-elle pu s'infiltrer dans le cercle des RAD si bien gardé ? Cléo avait bien l'intention de connaître le fin mot de l'histoire… ultérieurement. Pour l'heure, elle avait d'autres falafels à faire dorer.

Elle souleva un coin de son Bikini triangle couleur bronze pour vérifier l'avancement de sa coloration. La différence des tons de bruns de sa peau – bronzée et très bronzée – lui indiqua qu'elle était à point. Après plusieurs jours de pluie déprimants pour la mélanine, son épiderme exotique avait réclamé le retour à sa couleur préférée – un beau café au lait avec la main légère sur le lait. Elle venait de l'atteindre. Il lui fallait maintenant présenter la collection de bijoux de tante Néfertiti à ses amies dans l'heure. Une minute de plus et sa couleur commencerait à perdre de sa luminosité.

Après une application express quoique méthodique d'huile corporelle ambrée, Cléo se glissa dans une robe tube couleur sable, enfila des spartiates compensées en cuir et enroula Hissette autour de son bras. En prenant soin de ne pas faire claquer ses talons, elle traversa le palais sur la pointe des pieds et se glissa dehors, sous le soleil de l'après-midi.

S'éloignant dans la rue en levant son iPhone vers les cieux, Cléo implora le retour de ses barres de réseau. Au milieu de Radcliffe Way, à la hauteur de la petite maison blanche de

Jackson, une succession de « bwoops » lui indiqua qu'elle était revenue dans le jeu. Elle avait sept messages.

Geb soit loué!

À : CLÉO

27/09, 9 h 03

DEUCE : TON PÈRE NEST PLUS PÉTRIFIÉ? PAS TROP MAL À LA TÊTE?

À : CLÉO

27/09, 9 h 37

CLAWDEEN : BIEN RENTRÉE? LES FRANGINS ET MOI, ON EST ARRIVÉS PILE AVANT LE LEVER DE PAPA POUR LA CHASSE. OUF. PLEIN DE TRUCS À SE DIRE. MÉLONASE, FRANKIE QUI VA SE LIVRER, HISSETTE QUA FAILLI BOUFFER LES RATS. MDR ^! ON SE RETROUVE OÙ? À LOMBRE STP. TJRS PAS ÉPILÉE ☹ DIS DONC, TON SMS EST ARRIVÉ HYPER TARD HIER SOIR. CEST QUOI CES BIJOUX? JE VEUX LES VOIR!!! BAH, JE KIFFE LA SIGNATURE. # # # # # # #

À : CLÉO

27/09, 10 h 11

LALA : VIENS DE LIRE TON SMS DHIER SOIR. JE MEURS D'ENVIE DE VOIR LA MARCHANDISE. TU FAIS QUOI? ONCLE VLAD MA TROUVÉE PALE. VEUT ME FAIRE MANGER DE LA VIANDE. DIT QUE LE V DE VAMPIRE

NEST PAS LE V DE VÉGÉTAL. MDR À SA PROPRE BLAGUE.
JE VAIS CHEZ NATURALIA ACHETER DU FER. TU VIENS?
FAUT QUON PARLE DHIER SOIR. FRANKIE QUI PASSE
AUX AVEUX. CEST L'ÉLECTROCHOC (OU LA CHAISE
ÉLECTRIQUE). ::::::::::::::::::

À: CLÉO

27/09, 10h16

LAGOONA: ME SUIS FAIT CHOPER PAR MON ONCLE
HIER SOIR EN RENTRANT. IL A VU MON LIT VIDE ET IL A
CRU QUE JÉTAIS SUR UN COUP FOIREUX. IL MEST TOMBÉ
DESSUS JUSQU'À CE QUE JE LUI RACONTE QUE JÉTAIS
SORTIE SOUS LA PLUIE HYDRATER MES ÉCAILLES. LUI
AI DIT QUE JE CONNAISSAIS PAS LE MOT COUVRE-FEU.
SÛREMENT DE L'AMÉRICAIN ☺ IL A TT AVALÉ COMME
UN WOMBAT DANS UN BAR À SALADES. QUOI DE 9
AUJOURDHUI? TU CROIS QUE FRANKIE IRA JUSQUAU
BOUT? MEST AVIS QUELLE VA FLIPPER UN BON COUP
ET SE DÉBALLONNER. Y ME TARDE DE VOIR TES DIAMS.
ZONT LAIR XTRA TOP. @@@@@@@@@

À: CLÉO

27/09, 11h20

LALA: JE RENTRE DE NATURALIA. DOMMAGE QUE TU
SOIS PAS VNUE. Y DONNAIENT DES ÉCHANTILLONS DE
GLACE AU QUINOA. MIAM. JE FILE AUX NVELLES CHEZ
FRANKIE. ON SE VOIT LÀ-BAS?

« Chez Frankie » ?

À : CLÉO
27/09, 11 h 22
LAGOONA : VAIS RETROUVER LES MEUFS CHEZ FRANKIE.
TU VIENS ? @@@@@@

« Chez Frankie » ??

À : CLÉO
27/09, 11 h 23
CLAWDEEN : TU FAIS QUOI, LA REINE DE SABA ? TU
VIENS CHEZ FRANKIE ? ON EST DANS LE JARDIN DERRIÈRE.
#########

« CHEZ FRANKIE » ?
Cléo n'avait pas la moindre idée de ce dont elles parlaient. Encore moins du pourquoi du comment elles étaient au courant de quelque chose avant elle. Et sûrement pas de la raison pour laquelle Frankie l'avait exclue du coup. Mais chaque claquement de ses semelles de bois sur le trottoir désert de Radcliffe Way la rapprochait des réponses à ces questions.

Balançant ses cheveux noirs et ses épaules huilées, Cléo traversa l'impasse et contourna le bunker en forme de L d'un pas déterminé. Un entrelacs de câbles électriques formait une barrière entre le monde extérieur et le rectangle dense des hauts fourrés ceinturant la cour intérieure. Elle longea sans bruit le périmètre recouvert de pelouse, tendant l'oreille dans l'espoir de capter des murmures, mais le fracas d'une cascade noyait tous les autres sons. *Et maintenant?*

Un nouveau texto arriva sur son iPhone pile au bon moment.

À : CLÉO
27/09, 12 h 43
CLAWDEEN : FAUFILE-TOI SOUS LES CÂBLES ET PASSE LES FOURRÉS. MOINS ÉPAIS QUILS EN ONT LAIR. #########

Cléo suivit le conseil de Clawdeen et se retrouva sur un chemin dallé parfaitement entretenu. Le bruit de cataracte s'accentua comme elle suivait le sentier à travers un labyrinthe de verdure.

—*Sainte mère d'Isis!* marmonna-t-elle en arrivant au bout.

Les eaux d'une large cascade en forme de fer à cheval jaillissaient au sommet d'un dénivelé abrupt de près de cinq mètres pour venir se fracasser violemment dans un bassin bouillonnant et écumant. Un seul plongeon dans ce bain à remous et Cléo se retrouverait avec des os nickel comme après un bain d'acide.

Cela n'avait pas empêché Lagoona de s'allonger en haut de la cascade, ses jambes couvertes d'écailles étendues sur un des rochers plats pour s'ébrouer gaiement dans les embruns aux reflets arc-en-ciel, pendant que les autres filles prenaient le soleil à plat ventre sur une pelouse impeccable à la droite du bassin en contrebas. Elles avaient chacune une serviette jaune. Le menton appuyé dans les mains, elles souriaient d'un air béat. Elles auraient pu poser pour une nature morte intitulée *En n'attendant pas Cléo*.

— Quoi de neuf, les filles ? demanda Cléo d'un ton faussement détaché.

Au moins, elle était bronzée. Ce qui boostait toujours sa confiance.

Clawdeen se redressa.

— On parlait de la fête de mes seize ans. J'envoie les invites lundi.

— Je suis au courant, répondit Cléo. Je t'ai aidé à faire les enveloppes, tu te rappelles ?

— C'est pas trop cool ici ? s'empressa d'enchaîner Lala avec nervosité. C'est une centrale électrique de secours. Il y a des turbines cachées dans les rochers. Les Stein l'utilisent pour ne pas attirer l'attention par de trop grosses factures d'électricité. Viens t'asseoir avec nous. (Elle tapota l'herbe à côté d'elle en souriant de tous ses crocs.) C'est aussi le lieu idéal pour échanger des potins, parce que personne ne peut nous entendre, ajouta-t-elle en enveloppant son corps éternellement glacé dans une serviette.

Cléo resta debout.

— Qu'est-ce que tu fais là ?

Frankie se redressa et s'assit sur sa serviette. Elle n'avait plus ses mèches blanches et portait de nouveau son maquillage de normie. Ce fut soudain Cléo qui se sentit dans la peau d'un Martien.

—J'ai une meilleure question. (Elle fit coulisser Hissette autour de son biceps.) Qu'est-ce que je ne fais pas là ? Pourquoi est-ce que j'ai dû attendre que mes amies m'informent de la tenue de cette petite réunion ?

Clawdeen et Lala échangèrent un regard gêné et s'assirent également. Lagoona leur fit signe en toute innocence du haut de son rocher, sa queue-de-cheval blonde se balançant jovialement. Elle n'entendait manifestement pas un mot de ce qui se disait en bas à cause du bruit de l'eau.

Frankie lissa sa robe rose poudré et leva les yeux vers Cléo, s'abritant du soleil derrière sa main en visière.

—J'avais de bonnes nouvelles à propos de ma décision de me livrer à la police, et je voulais les partager, dit-elle avec un haussement d'épaules pour montrer que ce n'était pas plus compliqué que ça.

—Et alors… ?

Cléo plissa les yeux, la peau encore délicieusement tendue par son bain de soleil matinal.

—Et alors… je me suis dit que ça ne t'intéresserait pas.

—Et pourquoi ça ? s'enquit Cléo en plissant davantage les yeux jusqu'à ce qu'ils ne soient plus que deux fentes.

— Tu avais l'air si remontée contre toutes mes idées hier soir que je me suis dit que tu t'en ficherais pas mal, répondit Frankie, pas le moins du monde intimidée.

— Dis toujours, siffla Cléo en s'asseyant au bord de la serviette de Clawdeen.

Elles lui expliquèrent le plan FrankiBilly avec un enthousiasme qu'elle trouva ennuyeux. Elle le jugea futé et le leur dit. Mais sérieusement, combien de temps devrait-elle faire semblant de s'y intéresser avant de leur parler de sa séance photo avec *Teen Vogue*? trente secondes? quarante-cinq secondes? une minute? Une seconde de plus et elle sauterait dans la cascade pour s'hydroélectrocuter... à supposer qu'une telle chose soit possible.

— Il n'y a plus qu'à espérer que Mélodie trouve Bekka avant la fin de l'ultimatum, dit Frankie en regardant l'heure sur son iPhone.

— Mélodie? répéta sèchement Cléo. Qu'est-ce qu'elle vient faire dans cette histoire?

— C'est elle qui doit livrer FrankiBilly à Bekka, expliqua Clawdeen. Tu n'as pas écouté?

— Si, mentit Cléo. Ce que je ne comprends pas, c'est comment vous pouvez toutes lui faire confiance.

Frankie, Clawdeen et Lala dévisagèrent Cléo sans comprendre. Dans le lointain, Lagoona s'ébrouait joyeusement dans l'eau.

— C'est une normie! se défendit Cléo. Les normies répandent la haine à notre égard avec leurs films d'horreur à sensations, leurs séries de bouquins à la mode, leurs costumes d'Halloween dégradants et les thèmes méprisants qu'ils choisissent pour leurs bals costumés, comme la parade des monstres. C'est de la propagande.

Les yeux de Cléo commençaient à briller d'une exaltation qu'elle ne se connaissait pas.

— Mélodie n'est pas comme les autres normies, objecta Lala. Elle cherche à nous aider.

— Arrête de tout avaler comme tes pilules, La. Ils sont tous pareils. Les normies exploitent mes ancêtres depuis des générations. Ils expédient notre héritage par FedEx dans des musées aux quatre coins du monde afin que des amateurs d'art pontifiants puissent s'extasier sur les merveilles de l'Égypte antique et notre incroyable savoir-faire. Une fois leur visite terminée, ils achètent un livre sur Toutankhamon à poser sur la table basse dans la boutique du musée en déplorant qu'on ne sache plus soigner les détails de nos jours. Mais tout ça, c'est du *ka*. Ils s'en tapent bien de notre incroyable savoir-faire. Ce qu'ils veulent, c'est Ikea et Pier Import. Quoi qu'ils disent dans les musées, les normies aiment tous la même chose. Tiens! Vous avez vu l'intégrale de l'émission de téléréalité *Laguna Beach : the Hills*? Frankie, ton père pourrait te fabriquer une sœur avec ce que leurs chirurgiens esthétiques mettent au rebut. Et devinez qui a justement grandi dans ces fameuses collines? (Les filles la regardèrent, toujours sans comprendre.) Mélodie! Mélodie vient de Beverly Hills, poursuivit Cléo, la voix fêlée par le poids de sa propre conviction.

— En fait, je ne suis pas sûre que ce soient des collines de Beverly Hills qu'il s'agisse dans *The Hills*, fit remarquer Lala avec le plus grand respect. Je crois que cette émission se réfère plutôt à Hollywood Hills. Mais il y a de quoi se tromper, je te l'accorde.

Cléo résista à l'envie impérieuse de tirer les cheveux méchés de rose de sa copine vampire jusqu'à la faire crier.

— Bah, peu importe d'où elle vient, elle a retourné Jackson contre moi. Vous avez entendu ce qu'il m'a dit hier soir ? « T'es vraiment la reine du déni, de Nile ! » Très original. C'est bien une réplique de normie.

L'iPhone de Frankie laissa échapper un « bwoop » annonçant un message entrant.

Les filles se penchèrent sur l'écran, visiblement heureuses de la diversion.

— Mélodie et FrankiBilly arrivent chez Bekka, rapporta Frankie.

Elles poussèrent des cris fébriles. Cléo leva les yeux au ciel. C'est à l'annonce de sa séance avec *Teen Vogue* qu'elles devraient se pâmer. Pas de l'expédition de Mélonase.

— Bonne chance, dit Frankie à haute voix en même temps qu'elle l'écrivait. Tenez-nous au courant.

Elle appuya sur la touche « envoi » et les filles s'excitèrent de nouveau.

Quelques instants plus tard, des nouvelles fraîches arrivaient.

«Bekka à l'hosto avc Brett, lut Frankie. On y va. Encore tt le tps avant la fin de l'ultimatum. Ça devrait être bon. Si vs voulez tt savoir, Billy est vraiment canon ☺»

—Vous ne croyez pas que l'une de nous devrait aller à l'hôpital? suggéra Cléo. Juste au cas où elle essaierait de nous doubler?

—Elle n'essaiera pas de nous doubler, compris? répondit Frankie en jetant des étincelles.

Clawdeen et Lala baissèrent les yeux en tirant sur les fils de leur serviette pour se donner une contenance.

—Ah ouais? (Cléo s'allongea sur le dos, en appui sur les coudes, et offrit son visage à la caresse du soleil.) C'est toujours moi la reine du déni?

CHAPITRE 9

AU PAYS DE CANDI

Le soleil de Californie avait enfin trouvé le chemin de l'Oregon et ses effets euphorisants étaient indéniables. Tout ce qu'ils croisaient dans la voiture conduite par Candace pétillait de vie : les voitures encore parsemées de gouttes de pluie, les piétons qui se tenaient par la main, les aiguilles argentées et vaporeuses des pins d'Oregon. Même le dernier message audio de Bekka ne put gâcher la bonne humeur de Mélodie. Dans quelques minutes, elle allait sauver Jackson et Frankie. Dans quelques minutes, elle allait montrer à Cléo et aux autres RAD qu'elle était digne de confiance. Dans quelques minutes, elle allait entrer en action. Et un temps radieux s'était invité à la fête.

« Ping ! »

Un autre texto signé maman. Le troisième en une heure.

À : MÉLODIE

27/09, 13 h 48

MAMAN : BILLY EST HABILLÉ ? VOUS AVEZ TROUVÉ BEKKA ?

Le pacte de transparence que Jackson avait passé avec sa mère avait incité Mélodie à avouer à ses propres parents le rôle qu'elle jouait dans l'affaire qui défiait la chronique locale. Elle avait mis un certain temps à les convaincre que «tout ce binz sur les monstres» n'était pas une stratégie marketing de la ville de Salem pour stimuler son économie, mais tout ce qu'il y avait de plus réel. Elle ne regrettait rien. Comme toujours, ils lui avaient dit à quel point ils appréciaient sa franchise et avaient promis de garder le secret à condition qu'elle les tienne informés. Mais venir aux nouvelles trois fois en une heure était peut-être un petit peu exagéré. Elle se contenta de renvoyer à sa mère un laconique «on roule tjrs» et ne s'en occupa plus.

—Les NUDIstes à la rescousse! hurla Billy par le toit ouvrant de la BMW des Carver.

Un troupeau de VTTistes tournèrent leur tête casquée vers le 4x4 vert sapin, s'attendant manifestement à y découvrir le contrevenant. Malheureusement pour eux, ils ne virent que Candace, vêtue d'une tenue camouflage griffée, écroulée de rire derrière son volant, qui tapait dans la main de son nouveau pote invisible. C'était la cinquième fois qu'elle mettait Billy au défi de crier des trucs aux passants par la fenêtre, mais ils riaient encore comme si c'était la première.

Un virage un peu serré dans Oak Street projeta Mélodie à l'autre bout de la banquette arrière. Mais elle se garda bien de critiquer la conduite de sa sœur… ou son sens de l'humour. Candace était l'unique membre des NUDIstes qui avait son permis. Et le temps leur était compté.

—Hé!

Candace se tourna vers le siège passager vide à côté d'elle et remonta ses immenses lunettes de soleil sur ses boucles blondes. Ses yeux verts brillaient d'un éclat malicieux.

—Et si je t'appelais InvisiBilly?

—Tu regardes pas du bon côté! la nargua Billy depuis la troisième banquette. Je suis passé à l'arrière.

—J'hallucine! (Candace tapa sur le siège avant vide.) Vous, les gars invisibles, vous êtes trop speed pour moi!

Dans la file de droite, un type au volant d'un pick-up tout rouillé agita son annulaire orné d'une alliance en or en faisant la grimace.

—Déjà pris, articula-t-il avec un haussement d'épaules pour bien montrer combien il trouvait ça dommage.

Candace se détourna.

—Ben moi, j'ai rien perdu!

—Arrête de draguer les fermiers mariés, la charria Billy.

—Je te signale que c'est à toi que je croyais parler, gloussa-t-elle en se retournant vers l'arrière.

—Hé! dit Billy, se dépêchant de regagner le siège avant, je suis là.

—J'adore! s'écria Candace en appuyant sur le Klaxon.

Mélodie se pencha en avant pour serrer l'épaule de sa sœur.

—Candi! s'exclama-t-elle, sans plus s'inquiéter de vexer son chauffeur. Arrête de klaxonner. On est presque arrivés à l'hôpital. C'est une zone de silence !

—Alors pourquoi tu hurles comme ça ? chuchota Candace.

Des camions de régie immaculés – chacun affublé d'une antenne parabolique sur le toit et du logo d'une chaîne de télévision sur le flanc – étaient massés derrière le cordon de police, comme des paparazzi bannis du tapis rouge.

—Tu es sûr que c'est le pavillon de psychiatrie ? demanda Mélodie, surprise par la foule qui se pressait devant l'entrée.

La plupart de ces gens ne semblaient pas être des parents en visite, mais devaient être des journalistes.

Le plan imprimé de l'hôpital flottait à la place du passager.

—Bâtiment D, c'est bien ça, confirma Billy.

—Ouais, D comme Dément, fit Candace en parcourant les allées dans le parking bondé à la recherche d'une place.

Une blonde vêtue d'un blazer bleu électrique et d'une jupe crayon assortie surgit devant la BMW, un micro collé contre la bouche, un type portant une caméra sur les talons.

—J'espère qu'elle court chez le coiffeur pour se faire les racines.

—Vous croyez que tous ces gens sont là à cause de Brett ? s'étonna Mélodie.

— Hé! InvisiBilly, dit Candace en baissant la vitre côté passager, demande donc à cette journaliste mal fagotée ce qui se passe ici.

— Avec plaisir, répondit-il avec enthousiasme. Siouplaît, mamzelle?

Candace s'arrêta à sa hauteur. Mélodie s'enfonça dans sa banquette.

— Vous pouvez me dire pourquoi tout le monde s'excite, ici? demanda Billy.

Candace dévisagea la femme, les lèvres délibérément serrées.

— Euh… (Ne sachant pas trop à qui s'adresser, la journaliste fouilla du regard l'intérieur beige du 4 x 4.)… le garçon qui a vu le monstre est en train de revenir à lui. Les docteurs pensent qu'il va dire quelque chose.

— Merci un million de fois, ma jolie, dit Billy d'une voix de basse.

Les sourcils fins de la femme se haussèrent d'effroi.

— C'est quoi ce délire?

— Vous entendez des voix? lui demanda gentiment Candace.

La femme hocha la tête.

— Ça tombe bien, vous êtes chez les dingues, gloussa-t-elle en appuyant sur la pédale d'accélérateur.

— Toujours le mot pour rire! pouffa Mélodie.

Ils avaient de l'humour, on ne pouvait pas leur enlever ça, mais ce genre de petites blagues n'était pas ce qu'il y avait de mieux pour améliorer l'image des RAD dans l'opinion publique.

—Mais je croyais que l'objectif des NUDIstes était de montrer aux normies qu'ils n'avaient rien à craindre, pas de les faire flipper.

—T'as raison, reconnut Billy. J'arrête.

—La rigolade, terminé, grommela Candace.

Mélodie enfouit ses poings dans les manches longues de sa marinière et fronça les sourcils. Elle avait rêvé ou Candace et Billy venaient de se ranger à son avis?

Au bout de dix minutes à slalomer entre les journalistes et les rangées de voitures, Candace finit par garer la BMW sur une place réservée au nom du docteur Nguyen. C'était ça ou stationner carrément dans le hall.

—Allons-y!

Mélodie empoigna son sac à dos kaki et prit la tête des NUDIstes jusqu'au bâtiment D. Plus que quelques minutes et la vidéo de Jackson serait détruite. Elle sentait presque l'odeur de cire des pastels sur ses doigts tandis qu'il l'embrasserait tendrement en guise de remerciement. La promesse de ce baiser donna des ailes à ses Converse roses.

Ce ne fut pas bien difficile pour deux jolies filles de se frayer un chemin à coups de sourires parmi les journalistes, les étudiants chargés de la sécurité et les paparazzi armés de téléphones portables. Mais ce fut une autre affaire avec les deux armoires à glace montant la garde de chaque côté de la double porte vitrée, qui ne se laissèrent pas charmer si facilement.

— Reste en retrait et laisse-moi gérer, murmura Candace à l'oreille de Mélodie. Je sais y faire avec les videurs.

— Candace, non ! la retint Mélodie, mais c'était trop tard. Sa sœur s'approchait déjà de l'homme à gauche de la porte.

— Elle est toujours comme ça ? demanda Billy à voix basse, et Mélodie se contenta de hocher la tête d'un air exaspéré.

— Badge presse ou visiteur, grommela le vigile en ajustant le câble qui pendait de son oreillette.

— Sérieux ?

Mélodie se mordilla les cuticules. C'était le pavillon de psychiatrie d'un hôpital ici, pas la soirée des oscars de *Vanity Fair*. Encore que, il se pouvait qu'il n'y ait pas tant de différences.

— Pour tout vous dire, monsieur le vigile, j'espérais que vous pourriez faire une exception.

Candace retira ses lunettes de soleil à monture blanche et lui sourit en minaudant. Sa combi camouflage sans manches mettait en valeur sa silhouette de sylphide et lui donnait plus l'air d'un mannequin miniature de Victoria's Secret que d'un soldat en treillis.

— Voyez-vous, il faut vraiment que je…

La boule de muscles humaine leva la main, paume en avant, pour la faire taire.

— Un instant, aboya-t-il en posant un doigt aussi gros qu'une saucisse sur son oreillette, les yeux rivés sur le sol le temps d'écouter ses instructions.

Candace se tourna vers le second vigile, qui avait également levé la main.

Mélodie se mordillait toujours les ongles. Que se passerait-il s'ils ne les laissaient pas entrer? Si Bekka ne sortait pas? Si elle dépassait le délai de l'ultimatum? Si…?

— Tu devrais peut-être donner le sac à Billy et le laisser y aller tout seul, murmura Candace pendant que les deux maous costauds écoutaient… allez savoir ce que pouvait écouter ce genre de types. N'oublie pas qu'il est invisible.

— Oui, mais pas le sac! rétorqua sèchement Mélodie.

— Personne ne s'en apercevra, fit valoir Candace. C'est le pavillon de psychiatrie, après tout.

— T'as déjà fait le coup à cette journaliste. Tu veux bien être sérieuse deux minutes? Ce n'est pas un jeu…

— Désolé pour le contretemps, dit le vigile en reportant son attention sur Candace.

Son expression butée se radoucit et il se fendit d'un sourire. Une métamorphose à laquelle Mélodie avait assisté un millier de fois dans ce genre de situations qui étaient monnaie courante au pays de Candi et dont sa sœur se tirait toujours haut la main.

— Hé, Garreth! lança-t-il à l'autre garde sur sa gauche. Ça serait pas la nana super bonne que t'as vue passer dans sa bagnole tout à l'heure et qui cherchait une place?

— Ça se pourrait, acquiesça Garreth. C'était bien vous au volant de la BM verte?

— Ouaip, répondit crânement Candace. C'est un diesel, en plus. Bon pour l'environnement.

— Super. (Il lui sourit.) Puis-je voir une pièce d'identité ?

— No soucy. (Candace se retourna et adressa un clin d'œil à Mélodie tout en fouillant dans son fourre-tout en cuir métallisé.) Et voilà.

Il jeta un coup d'œil à son permis de conduire délivré dans l'État de Californie et le tendit à son collègue.

— Candace Carver ? demanda le type de droite.

— Première du nom, confirma-t-elle avec fierté.

— Donc, vous n'êtes pas le docteur Nguyen ?

— Hein ? Ben non, c'est qui celle-là ?

— On la tient, dit-il dans son micro. Vous avez trois minutes pour bouger vos jolies fesses et enlever votre diesel de cette place de parking avant qu'on appelle la fourrière. (Mélodie se prit la tête entre les mains.) Plus que deux minutes, annonça monsieur Muscles.

— Mais vous ne comprenez pas, plaida Candace. Il faut absolument qu'on entre dans cet hôpital.

— Un instant. (Le vigile se tourna vers Mélodie.) Vous êtes ensemble ?

Mélodie lança à sa sœur un regard foudroyant digne d'un feuilleton télévisé et qui signifiait peu ou prou : « Lâche l'affaire ou je te mets la tête au carré. »

— Candace, terminé, obtempéra-t-elle hâtivement en lui passant le relais.

— Non, on n'est pas ensemble, mentit Mélodie. Je… euh… je viens pour l'entretien d'embauche.

Billy toussa et Mélodie donna un grand coup de coude dans le vide à côté d'elle. Elle entendit un petit « ouf ».

— Quel entretien ? demanda le type.

— Il se réveille ! hurla quelqu'un – un journaliste ? – par une fenêtre du troisième étage.

La foule qui faisait le pied de grue devant l'hôpital poussa des vivats. Les lumières des caméras clignotèrent. Les journalistes déferlèrent vers les portes coulissantes.

— Tout le monde recule ! leur intima le vigile de droite.

— Vous avez autre chose à faire, alors je vais y aller, lui dit Mélodie.

Et, pour une raison étrange, il la laissa passer avec un geste de la main indifférent.

Devançant d'une poignée de secondes le tsunami des journalistes, Mélodie et Billy se précipitèrent dans la cage d'escalier mal éclairée et montèrent au troisième étage.

— Tu crois que ça va marcher ? demanda-t-elle en haletant comme la réalité (ou plus précisément l'enjeu) de ce qu'ils allaient faire lui apparaissait soudain pleinement.

S'ils réussissaient, la chasse aux monstres serait terminée et les choses rentreraient dans l'ordre. Mais s'ils échouaient, Jackson, Frankie et à présent Billy seraient en grand danger. Et c'est Cléo qui aurait raison : ce serait la faute de Mélodie.

—Tu ne vas pas te dégonfler au dernier moment, hein? questionna Billy.

—Nan, je lâche juste un peu de lest avant le sprint final, mentit-elle en attaquant la dernière volée de marches quatre à quatre.

Ils déboulèrent dans le couloir du troisième étage grouillant de monde et s'engouffrèrent dans les premières toilettes pour dames qu'ils trouvèrent afin que FrankiBilly puisse s'habiller.

—Appelle-moi si tu veux que je t'aide, dit Mélodie en lui glissant le sac sous la porte.

—On lance le direct dans cinq minutes, cria quelqu'un dans le couloir.

—En direct dans cinq minutes, répétèrent d'autres voix, faisant passer le mot.

Quelques instants plus tard, Billy sortit de sa cabine, fabuleusement glamour dans la robe de mariée en dentelles de Bonne-Maman Frankenstein tranchant sur sa peau menthe à l'eau. Mélodie n'en crut pas ses yeux tant il ressemblait à Frankie le soir du bal. Ils avaient la même taille. Sans la pomme d'Adam qui saillait sur sa gorge mince, il *était* Frankie tout craché.

—Attendons qu'ils commencent à filmer, suggéra Mélodie. Comme ça, tout le monde assistera en direct à la capture du mystérieux monstre vert, et on en aura plus vite terminé.

—C'est bon pour moi, opina-t-il en vérifiant que ses boulons cervicaux adhésifs tenaient bien.

—Vraiment? T'en es sûr?

Billy hocha la tête.

Mélodie passa un bras autour de ses épaules étonnamment bien dessinées et sourit à l'image que lui renvoyait le miroir : un monstre vert et une beauté aux cheveux noirs. C'était à ça qu'elles ressembleraient avec Frankie dans la vraie vie : deux amies qui s'affichaient ensemble côte à côte dans les toilettes publiques.

—Et c'est pour ça qu'il faut se battre, approuva Billy comme s'il lisait dans ses pensées.

Mélodie hocha la tête avant de composer rapidement un texto.

À : FRANKIE

27/09, 14h36

MÉLODIE : METS LES INFOS. ON SERA EN DIRECT DANS 5 MIN.

Mélodie sourit intérieurement en ouvrant la porte des toilettes. Après des années de silence à cause de son asthme et du poids de la société, voilà qu'elle faisait de nouveau entendre sa voix.

Et le monde allait l'écouter.

CHAPITRE 10

BELLE À FAIRE PEUR

L'image haute définition d'un garçon encore à moitié dans les vapes couché dans un lit d'hôpital s'afficha sur la télé à écran plat des Stein, tandis qu'un texte défilait en incrustation : « Brett Redding revient à lui après une rencontre du troisième type avec un monstre… Sa famille et ses amis sont autour de lui et attendent ses premiers mots. »

—Ahhhhh !

Une clameur polyphonique à cinq voix, presque assez puissante pour entraîner les pales du ventilateur du plafond, s'éleva du canapé d'angle couleur mastic et emplit le salon.

—Nom d'un dingo ! (Lagoona referma le capuchon de son lait hydratant à l'huile essentielle de thé vert avec un claquement sec et allongea ses jambes sur les genoux de Lala.) On dirait un char de carnaval avec toutes ces fleurs autour de lui.

—Les normies adorent se donner en spectacle, dit Cléo en admirant sa pédicure depuis la place d'angle du canapé.

—Miam! Regardez-moi cette appétissante assiette de viande froide qu'ils lui ont apportée, remarqua Clawdeen.

—Beurk! fit Lala avec une grimace.

—Mords-moi, je rêve! la taquina Clawdeen. On se demande à quoi te servent tes crocs. Quel gaspillage! Tu sais ce que tu devrais faire pour pas perdre la main? (Elle se tourna vers Lagoona et fit mine de lui planter ses dents dans l'épaule.) Goûter au steak de kangourou.

—Couchée, meuf!

L'Australienne lança sa lotion hydratante à l'huile essentielle de thé vert à la tête de Clawdeen, qui hurla de rire.

—En parlant de gaspillage, répliqua Lala avec un frisson en s'enveloppant dans son châle de cachemire noir, j'aurais de quoi me tenir au chaud toute une année avec les poils dont tu te débarrasses quotidiennement.

—T'es vache!

Clawdeen lança la bouteille à Lala en pouffant de rire.

—Et qu'est-ce que vous dites de miss Cent-Mille-Volts, là?

Lala lança à son tour le flacon de lotion corporelle, qui rebondit sur les fesses de Frankie. Il atterrit sur le tapis avec un bruit sourd.

—Elle crame plus de mégawatts qu'un son et lumière à Vegas.

—Bien envoyé! (Cléo lui tapa dans la main.) Les vampires contre-attaquent!

Elles éclatèrent toutes de rire – sauf Frankie. Elle était plantée devant la télé, clouée sur place par la vision de Brett blotti sous un plaid marron et bleu. Sa peau exempte de boutons nettoyée au Neutrogena formait une toile de fond parfaite pour le rouge sang de ses lèvres, le bleu denim de ses yeux et le noir corbeau de ses mèches hérissées : un teint de porcelaine sur lequel tranchaient les couleurs éclatantes de son visage.

Les lèvres de Frankie la picotaient. L'espace entre ses côtes où était censé se trouver son cœur se dilata. C'était la première fois qu'elle le revoyait depuis leur fameux baiser – ce malheureux baiser qui lui avait fait perdre la tête, avait conduit Brett dans le pavillon psychiatrique et mis en danger l'avenir de tous les RAD de Salem. La seule vue de ce garçon aurait dû la remplir de terreur. De honte. De colère. Au lieu de cela, ses entrailles ne demandaient qu'à remettre le couvert.

Holt qui ?

—On a raté quelque chose ? demanda Viktor, qui arrivait en toute hâte avec Viveka.

Sa blouse de laboratoire dégageait d'âcres relents de métal et de sueur. Celle de sa femme des effluves de gardénia et de fards à la cire.

—Où est Billy ? demanda Viveka.

—Chut ! siffla Frankie, toujours scotchée à l'écran avec la dévotion d'un zombie. Brett reprend conscience. Il va parler.

La caméra fit un plan large pour montrer la chambre d'hôpital. Des murs jaune citron recouverts de cartes de vœux de rétablissement. Une fenêtre avec vue sur le parking. Et Bekka, au côté de la mère de Brett, qui portait un tee-shirt

«Le blanc est le nouveau vert» et arborait une expression pleine d'espoir.

Frankie en eut le souffle coupé.

— Vous avez vu ce tee-shirt? C'est carrément grossier!

— Pas autant que la fille, dit Cléo.

— À hurler, acquiesça Clawdeen.

— Heureusement que Bonne-Maman Frankenstein n'est plus là pour voir ces fausses mèches. C'est d'une vulgarité, dit Viveka à son mari.

— Chut! répéta Frankie alors que la caméra zoomait sur Brett.

Ses lèvres magnifiques se mirent en mouvement.

Un journaliste entra dans le champ près de Brett, un micro à la main et le visage tendu par l'inquiétude.

— On dirait que Brett veut nous dire quelque chose, dit l'homme d'une voix grave qui contrastait avec ses traits juvéniles. (Le nom de Ross Healy s'inscrivit en bas de l'image.) B-man, est-ce que tu m'entends? demanda-t-il.

— Mmwwllww, marmonna Brett.

Bekka et la mère de Brett se penchèrent sur lui.

— B-boy, est-ce que tu m'entends? C'est Ross. Ross Healy du journal de Channel Two. Tu sais bien… (Il chantonna le jingle.)… «On vous dit tout sur Channel Twooo.»

— Mmwwllww, marmonna Brett encore une fois.

— Il a dit «môman!» sanglota de joie Mme Redding, les mèches brunes de son carré court balayant la ligne de sa mâchoire. Hein que tu as bien dit «môman», mon fils?

—La voilà, la «mômie» à son Aménophis, dit Clawdeen en levant la main de Cléo.

Les filles gloussèrent.

—Mmwwllww!

—Il a dit: «Mais où elle est?», traduisit Bekka en écartant la mère de Brett d'un coup de coude. C'est moi qu'il cherche. Il me veut. (Elle froissa ses mèches noires entre ses doigts, les hérissant un peu plus sur sa tête.) Pas vrai que c'est moi que tu veux, Brett?

—Dégage, Sheila! cria Lagoona à la télé. C'est notre Frankie qu'il veut. Pas une pétasse à la manque comme tézigue!

—Bekka? réussit à articuler Brett avant de tousser faiblement.

Une infirmière se précipita à son chevet avec un gobelet marron rempli de glace pilée. Brett s'en humecta la bouche tout en cherchant la main de sa petite amie. Son visage s'éclaira dès que le contact fut établi. Bekka était rayonnante. Frankie se rembrunit.

—Ça va? demanda-t-il, ses yeux couleur denim cherchant fébrilement ceux de Bekka.

Bekka hocha la tête.

—Maintenant, oui.

Un concert de haut-le-cœur dégoûtés s'éleva du canapé d'angle. Frankie sourit intérieurement.

—J'étais tellement inquiète, dit Bekka en lui essuyant délicatement les lèvres avec un mouchoir.

—Tu plaisantes ? (Brett se redressa.) C'est moi qui étais inquiet pour toi.

—C'est incroyable, murmura Ross d'une voix étouffée, comme la voix off d'un documentaire sur la vie des animaux filmant la naissance d'un bébé girafe.

Frankie avait envie d'arracher les sutures de son cou et de l'étrangler avec. Voilà qui serait vraiment incroyable.

—Bekka, j'ai cru que je t'avais tuée.

Brett éclata en sanglots, une énorme bulle de morve se formant sous son nez.

—C'est vraiment dégueu ! éructa Lagoona. Vous avez vu ce glaviot de la mort ?

Le sourire radieux de Bekka s'estompa à la vitesse d'un coucher de soleil en accéléré.

—Comment ça, tu as cru que tu m'avais tuée ?

—Reculez-vous tous, ordonna un jeune médecin, portant l'inscription « interne » dans le dos de sa blouse blanche. (Il se précipita sur Brett en brandissant une seringue.) Il est victime d'hallucinations post-traumatiques.

—Quoi ? (Brett repoussa l'interne et sa seringue.) Je n'ai pas d'hallucinations.

—Mais si, affirma Bekka.

L'interne entra de nouveau dans le champ.

—Certainement pas.

L'interne battit en retraite.

—Bien sûr que si.

L'interne revint à la charge.

— Laissez-le parler, hurla Mme Redding.

Tout le monde recula d'un pas.

Brett se fourra encore quelques morceaux de glace pilée dans la bouche avant de se tourner vers sa mère.

— Tu te souviens de la fête d'anniversaire de mes dix ans ?

Elle hocha la tête, les larmes aux yeux.

— Nous avions transformé le sous-sol en maison hantée. Tu voulais un gâteau monstrueux et j'avais préparé une génoise en forme de silhouette humaine. On lui a planté des couteaux en plastique dans le corps et on l'a arrosée de compote de cerise.

— Oui… c'est ça… (Brett décolla un éclat de vernis noir de l'ongle de son pouce.) Et, quand j'ai soufflé mes bougies, j'ai fait un vœu… (Il gratta son ongle de plus belle.) J'ai souhaité…

Il s'activait désormais frénétiquement sur son vernis.

— Tout va bien, B-man, lui dit Ross à voix basse. On n'est pas là pour te juger.

Brett prit une profonde inspiration.

— J'ai souhaité devenir un vrai monstre… Et c'est ce qui est arrivé. Je suis un monstre.

L'interne s'avança avec sa seringue. Mme Redding l'écarta.

— Bon Dieu, Brett, je t'interdis de dire des choses pareilles ! s'écria-t-elle. Tu n'es pas un monstre !

— Et comment tu appelles un type qui arrache la tête de sa petite amie ?

— Quoi ? s'exclamèrent Viktor et Viveka d'une seule voix.

— Trop frais ! s'esclaffa Cléo. Il a pris Frankie pour Bekka !

—Elles étaient habillées pareil, fit remarquer Clawdeen.

—Excellent! dit Lala. Ça te met hors du coup!

Frankie tenta de sourire de façon convaincante, parce que, techniquement, Lala avait raison. C'était une excellente nouvelle. Si Brett ne savait pas qu'elle existait, qui pourrait la blâmer? Son ignorance était un don du ciel! Une bénédiction! Une carte chance « Vous sortez de prison »!

Alors, pourquoi est-ce que ça fait plus mal que quand ma tête s'est décrochée?

Plusieurs sentiments indistincts tournoyèrent dans le cerveau de Frankie, caracolant comme les chevaux de bois colorés d'un manège: le soulagement, la gêne, le désir de vengeance, la gratitude, la tristesse, une impression de liberté, puis de perte… Mais un sentiment dominait tous les autres, statique, tel le siège du carrosse boulonné et inamovible, et c'était celui de son insignifiance.

—Tu as cru que tu m'avais décroché la tête? demanda Bekka.

Brett acquiesça.

—*Ma* tête?

—Oui! gémit Brett en regardant ses mains. Je suis le mal personnifié!

—Brett! hoqueta sa mère. Je t'interdis…

—Mais c'est la vérité! Il faut être vraiment tordu pour tuer la fille avec qui on est en train d'échanger le meilleur baiser de sa vie.

Il venait de dire « le meilleur »…

—Ahhhh!

Les filles bondirent du canapé et sautèrent au cou de Frankie. Elles la serrèrent dans leurs bras et la félicitèrent comme si elle venait de gagner *La Nouvelle Star*.

—Rasseyez-vous, explosa Viktor. C'est de mon bébé qu'il est en train de parler.

Viveka le réconforta d'une tendre pression sur l'épaule.

—C'était le meilleur baiser de ta vie? répéta Bekka, ses yeux verts empreints de tristesse et de crainte.

—Ben ouais. (Brett gloussa.) Allez. Reconnais-le. Tu n'étais pas en reste.

—Coupez les caméras! hurla Bekka d'une voix si brutale que ses taches de rousseur en frémirent.

—C'est comme si c'était fait, dit Ross en clignant de l'œil vers son cameraman. OK. On est off. Tu peux y aller.

—Brett, ce n'était pas moi!

—Bien sûr que si, c'était toi. Je ne suis pas fou, l'assura-t-il. J'étais Frankenstein et tu étais ma fiancée. Je me souviens de tout.

Frankie se rapprocha de la télé. Ses amies l'imitèrent.

—Brett, je te dis que ce n'était pas moi! C'était un monstre! Un véritable monstre.

Il éclata de rire.

—On voit bien que tu as perdu la tête!

—Non, c'était moi! intervint FrankiBilly, qui venait d'entrer dans la chambre, vêtu de la robe de mariée de Bonne-Maman Frankenstein.

Toute la ville de Salem retint son souffle au même moment.

Le visage de Brett s'illumina. Frankie était rayonnante. Bekka se rembrunit.

—VOLTAGE!

Frankie sautait sur place en applaudissant des deux mains. Un tonnerre d'acclamations ébranla le salon des Stein.

—Au-delà! s'esclaffa Lala. C'est ton portrait craché, Frankie!

—Qu'est-ce que c'est que ça? bredouilla Bekka, un tiers soupçonneuse, deux tiers effrayée. Qu'est-ce qui se passe?

—C'est moi, Brett, dit FrankiBilly en s'avançant lentement vers lui. Je suis la fille que tu as embrassée au bal.

Un bataillon d'agents de sécurité fit irruption dans la chambre.

—Attendez! Laissez-la tranquille! entendirent-ils Mélodie crier en arrière-plan. Elle est inoffensive.

À la surprise générale, les gardes reculèrent.

—Qui es-tu? demanda Brett.

—Je suis la seule responsable de tout ça. (FrankiBilly montra d'un geste le lit d'hôpital de Brett, puis la meute des journalistes et les gens massés sous sa fenêtre.) Et je veux que tu saches que je suis désolée. Je ne m'approcherai plus jamais de toi, ou de quiconque. Je ne voulais faire peur à personne…

—«Peur»?

Brett repoussa ses couvertures d'un coup de pied et s'assit dans son lit. Il portait son tee-shirt Frankenstein – le même que le jour de la rentrée.

—Oui, j'ai eu peur, mais pas de toi. J'ai eu peur de moi-même! Peur de t'avoir tuée. C'est bien ce qui arrivé, non? Je veux dire, je t'ai blessée? Parce que ce n'était pas mon intention. Un coup je roulais la meilleure pelle de toute ma vie, et puis l'instant d'après…

—Au secours! glapit Bekka. Que quelqu'un lui vienne en aide! Cette chose s'est emparée de son esprit!

—C'est pas ma faute si je suis belle à faire peur, dit FrankiBilly à Bekka.

—J'hallucine, il n'a pas osé!

Lala éclata de rire en tapant dans la main des autres filles.

Les agents de sécurité se mirent en mouvement. Cette fois-ci, ce furent Ross et son équipe qui les retinrent.

—VOLTAGE! s'exclama Frankie. C'est comme de regarder *Gossip Girl* à la télé. Sauf que c'est la réalité. Et que ça parle de moi!

—Mélodie a réussi! s'écria Lala en jetant son châle noir dans les airs.

Cléo leva les yeux au ciel.

—Attendons la suite. Ce n'est pas encore fini.

Brett se pencha vers FrankiBilly.

—Personne ne s'est emparé de mon esprit, Bekka. Juste de mon cœur.

—La chose lui a volé son cœur! hurla Bekka.

Mais plus personne ne l'écoutait. Pas même Brett. Il chercha la main de FrankiBilly, qui la lui abandonna.

—Ils ne vont quand même pas s'embrasser? hoqueta Clawdeen.

Bekka se jeta sur Billy.

—Ne t'approche pas de lui! (Deux agents de sécurité se précipitèrent sur elle.) Lâchez-moi! se débattit Bekka. Cette chose est un monstre! Ils ont envahi la ville! Ils sont venus nous voler nos hommes! (Les gardes la soulevèrent par les aisselles et l'entraînèrent vers la sortie.) Attendez! (Bekka coinça ses pieds de chaque côté de la porte.) J'en ai la preuve. Je peux le prouver. Je peux le prouver tout de suite.

—Reposez-la, leur ordonna Ross.

—Qu'on aille chercher mon amie Haylee, intima Bekka.

Quelques instants plus tard, sa copine aux allures de souris entra dans la chambre en claquant des talons avec la détermination d'un jouet mécanique remonté à fond. Elle portait une veste de tweed ajustée, un pantalon baggy, une casquette de distributeur de journaux et ses sempiternelles lunettes papillon à monture d'écaille. Le seul détail qui indiquait qu'elle n'arrivait pas tout droit des années soixante était l'iPad qui dépassait de la poche extérieure de son attaché-case vert en faux croco.

Bekka agita les doigts avec impatience.

—Donne.

Haylee déposa l'iPad dans la main tendue de Bekka.

Frankie tritura les sutures de son cou.

—Qu'est-ce qu'elle fabrique encore? (Bekka effleura l'écran plusieurs fois, l'orienta vers les caméras et appuya sur la touche «play».) Non! hurla Frankie à la télé. Tu ne peux pas faire ça! Mélodie est arrivée avant la fin de l'ultimatum! Tu avais promis!

Viktor et Viveka retinrent leur souffle.

Lagoona se gratta. Lala frissonna. Clawdeen grogna.

— Vous voyez? leur lança Cléo avec un sourire satisfait comme la vidéo de la transformation de Jackson Jekyll en Holt Hyde démarrait sous leurs yeux. Je vous avais bien dit qu'on ne pouvait pas faire confiance aux normies.

CHAPITRE 11

MÉLODIE EN SOUS-SOL

Un essaim de journalistes s'engouffra en bourdonnant par la porte ouverte. Ils tendirent leurs micros et leurs perches vers Bekka, impatients d'obtenir une déclaration de la chasseuse de sorcières de Salem qui se trouvait au cœur de ce qu'ils avaient d'ores et déjà intitulé «Le Corbeau contre Double-Face». Si ça n'avait tenu qu'à Mélodie, elle avait d'autres noms d'oiseaux en stock pour décrire cette harpie à taches de rousseur.

— Laissez-moi passer! cria-t-elle en les écartant.

Ce qu'ils firent, à son grand étonnement, mais il était trop tard. La vidéo incriminant Jackson venait d'être diffusée sur Channel Two et passerait en boucle sur toutes les chaînes affiliées. Embarquement immédiat. Prochain arrêt: YouTube. Terminus? Le monde entier.

— Qu'est-ce que tu fais? (Mélodie arracha l'iPad des mains moites de Bekka.) On avait conclu un accord! Je t'ai donné ce que tu voulais.

—Ah ouais? Si c'est de ça que tu parles… (Elle montra du doigt Brett et FrankiBilly, maintenant assis côte à côte au bord du lit, et qui discutaient à voix basse.)… Ça ne faisait pas partie de notre accord.

Haylee fouilla dans son attaché-case.

—J'ai les documents qui le prouvent.

—Alors, comme ça, tu fais payer Jackson pour le comportement de Brett? (Mélodie serra les poings.) C'est vraiment n'importe quoi…

—Excusez-moi, mademoiselle Madden? les interrompit un journaliste. Pouvez-vous nous parler du garçon de la vidéo?

Avides d'avoir leur scoop, les médias fondirent sur Bekka comme des pigeons sur une croûte de pizza.

—Bien sûr, répondit-elle, ne demandant que ça.

—Est-ce qu'il y en a d'autres comme lui?

—J'en suis certaine. Ces monstres ont forcément des familles.

—Avez-vous reçu des menaces?

—Si vous trouvez que me voler l'homme de ma vie n'est pas une menace, je ne sais pas ce qu'il vous faut.

—Revenons au garçon de la vidéo. Double-Face est-il capable de tuer?

Mélodie s'éloigna de la meute affamée – elle avait l'impression d'avoir été fouettée, battue et réduite en purée. Son échec était patent. Jackson avait pris la place de Frankie plus vite qu'elle ne put textoter : « Désolée. » « La fille qui a perdu la tête» était de l'histoire ancienne. Tout le monde n'en avait désormais que pour «Double-Face». Mais ils ne le trouveraient pas. Jackson était sans doute en train d'embarquer dans un vol pour Londres, son ventilateur à la main pour rafraîchir son front trempé de sueur, et devait regretter amèrement le jour où il avait croisé la route de Mélodie Carver près du manège sur les quais. Il ne saurait jamais combien il lui manquerait. Lui et tout ce qu'ils auraient pu faire ensemble. Ce qu'ils auraient pu accomplir. La voix qu'elle aurait peut-être retrouvée. La mise à mort par les médias était rapide et douloureuse.

Si seulement Candace était là. Elle aurait trouvé un moyen de distraire les journalistes. De détourner leur attention de Jackson…

Minute! Le cœur de Mélodie battit plus fort. La solution lui sauta aux yeux : elle était assise près de Brett et portait une robe de mariée.

— Désolée de vous interrompre, dit-elle en tirant Billy par la main pour le faire lever. Tu as peint tout ton corps ou seulement les parties visibles ? murmura-t-elle contre sa perruque.

Cette dernière avait la douce odeur de plastique des cheveux des poupées Barbie.

— Seulement ce qui dépasse de la robe, répondit Billy à mi-voix. Pourquoi ?

— Déshabille-toi. On ne verra plus que des membres qui flottent. Donne-leur un autre gibier à chasser.

— Génial ! ricana Billy.

Quelques instants plus tard, la robe de mariée de Bonne-Maman Frankenstein n'était plus qu'un tas de dentelles sur le sol de l'hôpital. Deux bras couleur menthe à l'eau et le masque de Frankie sur le cou de Billy flottaient à présent dans les airs.

— C'est bientôt Halloween! s'écria-t-il en faisant cliqueter ses os comme un squelette spectral.

Des hoquets de surprise et des cris de terreur emplirent la chambre bondée. L'équipe médicale se rua vers la sortie.

— Qui m'aime me suive! lança Billy en entraînant les journalistes toujours à l'affût d'une exclu dans le couloir de l'unité psychiatrique de l'hôpital de Salem.

— Attends! Comment tu t'appelles? lui cria Brett. Où tu vas?

Il fit mine de se lancer à la poursuite de FrankiBilly, mais sa mère s'interposa, offrant d'y aller à sa place pour lui éviter de se fatiguer.

Bekka empoigna Mme Redding par les pans de son cardigan rose.

— Vous n'allez quand même pas lui ramener cette *chose*?

— Vite, môman! la pressa Brett. Ils risquent de la blesser.

Mme Redding s'élança dans le couloir. Bekka lui emboîta le pas en lui hurlant qu'elle allait se retrouver avec des petits-enfants aussi verts que des algues.

Une fois que tout le monde eut quitté la pièce, Mélodie ramassa délicatement la robe de dentelle tachée de fond de teint vert pour la défroisser.

—Ils ne vont pas lui faire de mal? demanda Brett, dont les yeux bleus brillaient d'une authentique inquiétude.

Mélodie secoua tranquillement la tête. Brett se leva malgré tout. Il vacilla et se retint aux barreaux du lit pour ne pas tomber.

—Je vais voir ce qu'ils font. Juste au cas où.

Mélodie se précipita vers lui et l'obligea à se recoucher.

—Je crois que tu ferais mieux de garder encore un peu le lit le temps de reprendre des forces.

Il se dévissa le cou pour voir ce qui se passait dans le couloir.

—Mais s'il lui arrivait quelque chose?

—Fais-moi confiance, le rassura Mélodie d'un sourire. Tout ira bien pour lui.

—*Lui?* s'étrangla Brett, sur le point de tourner de nouveau de l'œil.

—Je veux dire…

Mélodie le considéra avec un soupir. *Le pauvre garçon n'en a-t-il pas assez bavé? Il est peut-être temps de lui dire la vérité.*

—Ce n'est pas la fille que tu as embrassée, lui chuchota-t-elle à l'oreille.

—Ah, mais ça suffit! gronda-t-il. Vous vous êtes tous donné le mot pour m'embrouiller, ou quoi?

—Personne n'essaie de t'embrouiller, Brett. Je te le jure. On essaie seulement de faire en sorte que tout se passe au mieux pour tout le monde. Ce n'était qu'un leurre. Pour empêcher Bekka de dénoncer la véritable fille que tu as embrassée.

— C'est qui alors, la véritable fille que j'ai embrassée ?

— Je ne peux pas te le dire sans son accord. Mais je lui demanderai si elle accepte de te rencontrer.

— Tu ferais ça ? Elle est dans le même lycée que nous ? (Mélodie fit signe qu'elle n'en dirait pas davantage.) Dis-moi juste un truc : c'est un vrai monstre ?

Mélodie hésita. Pouvait-elle le mettre dans le secret ? Elle plongea son regard au fond des prunelles de Brett, y cherchant la réponse. Ses yeux étaient écarquillés d'espoir. Embués de tendresse. Avides de vérité. Elle finit par hocher la tête.

Les traits crispés de Brett s'adoucirent pour exprimer sa gratitude. Il sourit d'abord largement, mais se rembrunit presque aussitôt.

— Qu'est-ce qu'il y a ?

Il soupira, baissant les yeux sur ses ongles vernis de noir.

— Alors, ça veut dire que moi je ne suis pas un monstre.

Mélodie lui sourit. D'une certaine façon, ils avaient beaucoup en commun. De sombres interrogations s'agitaient derrière leur façade rutilante. Contrairement aux autres, ils ne recherchaient pas la perfection, mais étaient attirés par la difformité. Ils étaient le pendant humain de la ville de San Francisco – des failles imprévisibles se dissimulaient derrière leur beauté. Leur vie n'était qu'une quête incessante pour trouver un havre de paix.

— Que dirais-tu de faire partie des NUDIstes ?

—Des quoi?

—C'est mon association promonstres. Les Normies Unis contre la Discrimination Imbécile.

Son visage s'éclaira.

—Où est-ce que je signe?

—Tu viens de t'inscrire.

—Je suis désolé, Mélodie.

—Pourquoi?

—Pour Bekka. Je sais que vous étiez amies. Et Jackson est un mec cool. Elle n'aurait jamais dû faire ce qu'elle a fait.

—Merci, répondit Mélodie en appuyant son front contre la fenêtre insonorisée. Oh! là, là! viens voir! dit-elle en pointant un doigt vers la vitre.

En bas, on aurait dit que les cameramen dansaient le pogo dans leur empressement à filmer quelque chose sur le bitume. Mélodie distingua Haylee et Thomas, le copain de Brett, un peu à l'écart, mais la foule était si dense qu'elle ne put voir ce qui avait excité l'intérêt des journalistes.

Brett s'empara de la télécommande et alluma la petite télé accrochée au mur. Un gros plan du faux visage de Frankie gisant sur le sol du parking emplit l'écran. À côté, la perruque aux mèches noires et blanches avait été abandonnée avec un tas de serviettes en papier maculées de fond de teint vert. Ross Healy, légèrement soulagé mais surtout très déçu, annonça que toute cette histoire de monstres n'était qu'un canular monté de toutes pièces par un groupe de lycéens de

Merston High. Il se rendit ensuite dans les studios, où se trouvait un spécialiste des effets spéciaux prêt à expliquer comment ces petits malins avaient pu s'y prendre pour monter leur coup.

Brett coupa le son de la télé.

— Mais ce n'était pas un canular, si ?

— Je te jure qu'elle existe vraiment. Demain, je te la présenterai.

Son visage s'éclaira, et Mélodie ressentit plus vivement l'absence de Jackson.

Quelques instants plus tard, Ross Healy et son équipe vinrent récupérer leur matériel.

— Tu m'as bien fait marcher, dit-il en simulant un crochet vers l'estomac de Brett.

— Je n'y suis pour rien, l'assura Brett. Je me suis fait avoir aussi.

— Tu es très fort, B-man. (Ross lui tendit sa carte.) Appelle-moi s'il se passe quelque chose d'intéressant dans ton lycée de dingues. Je te filerai des tickets pour un concert de Lady Gaga ou un truc du genre.

Brett haussa ses épais sourcils.

— Je pourrais filmer un sujet pour vous un de ces quatre, non ? Je suis réalisateur à mes heures.

— Quelles sont tes influences ? lui demanda Ross.

Sûre et certaine que Brett ne vendrait pas la mèche, Mélodie en profita pour s'éclipser afin de rejoindre Billy et Candace.

Dans le couloir, un agent de police interrogeait Bekka à propos de son implication dans le canular.

—Mademoiselle, disait-il en faisant claquer son carnet de cuir contre la paume de sa main. Plus vous accepterez de coopérer, moins votre peine sera lourde.

—Ma *«peine»*? (Le policier opina du chef.) Je vous répète que ce n'est pas un canular, renifla-t-elle. Ces monstres existent bel et bien. Où est Haylee? Est-ce que quelqu'un sait où est Haylee?

—Je l'ai vue dehors en train de discuter avec Thomas, dit Mélodie, heureuse d'être la messagère de mauvaises nouvelles.

Bekka soupira d'un air contrarié.

—Vous n'avez qu'à lui demander, à elle. Elle vous dira la vérité. Je ne suis pas une menteuse.

L'agent de police regarda Mélodie d'un air soupçonneux.

—Vous connaissez cette fille?

—Oui, monsieur, répondit poliment Mélodie.

Après avoir décliné son nom et son adresse, Mélodie l'assura qu'elle serait heureuse de l'aider au mieux.

—Dieu soit loué! se mit à sangloter Bekka.

—D'après ce que vous savez d'elle, voyez-vous une raison pour laquelle Bekka… (Il vérifia le nom dans son carnet.)… Bekka Madden aurait voulu faire croire qu'elle avait vu un monstre?

Bekka écarquilla ses yeux verts, implorant désespérément l'indulgence de Mélodie. Son regard semblait lui dire: «Pardonne-moi pour tout: notre amitié bafouée, le chantage, les menaces téléphoniques, la promesse que je n'ai pas tenue, la vidéo de Jackson que j'ai diffusée... »

Mélodie fit la moue et considéra ses excuses. À présent que la chasse était terminée et que la vie des RAD allait retrouver son cours normal, Mélodie était sincèrement désolée pour Bekka. Brett n'avait d'yeux que pour Frankie. Bekka s'était ridiculisée en public, et n'avait plus que Haylee pour seule amie. N'était-elle pas assez punie ? Fallait-il en rajouter une couche et la faire arrêter ?

—Bekka est une fille géniale. Elle est incapable de mentir, déclara Mélodie.

Les sanglots de Bekka cessèrent instantanément.

—Vous voyez ? Je vous l'avais bien dit !

—Mais une farce, ce n'est pas un mensonge à proprement parler, si ? Je veux dire, si vous me demandez mon avis, je dirais que ce n'est pas la même chose. Et le canular de Bekka était du grand art. (Mélodie lui donna une tape goguenarde dans le dos.) Rien que le boulot que ç'a dû être de tourner cette vidéo. Sans parler du costume de Frankenstein, des effets spéciaux, et de réussir à alerter la police et les médias. C'est quand même impressionnant quand on y réfléchit. S'il y avait des oscars pour les canulars, Bekka, ma chère amie, tu aurais tout raflé.

—Quoi ? Mais qu'est-ce que tu racontes ? (Bekka se tourna vers le policier.) Elle ment !

—De quoi va-t-elle écoper, monsieur l'agent ? Rien de trop grave, j'espère. C'était pour rire.

L'homme remit son képi en place.

—Une bonne dose de travaux d'intérêt général, pour commencer.

Mélodie approuva d'un hochement de tête avant de s'éloigner avec un sourire béat. Elle aussi venait d'œuvrer pour l'intérêt général. Et ça faisait un bien fou.

CHAPITRE 12

MOMIE SOIT QUI MAL Y PENSE

Dans l'absolu, Cléo n'avait rien contre les jeux Olympiques. C'était un spectacle édifiant et qui venait de Grèce, comme Deuce. Mais, chaque fois, ses émissions préférées passaient à la trappe pour être remplacées – appelons un chat un chat – par d'obscures activités physiques carrément indigestes délaissées par les marques quinze jours durant. Pendant ce temps, Cléo n'avait plus qu'à tourner en rond dans le palais comme un chameau perdu dans le désert, à la recherche de quelque chose de familier pour ne pas trop se déconnecter. C'était une sensation déroutante qui lui mettait le moral dans les spartiates et contre laquelle il n'y avait qu'un seul remède : les cérémonies de clôture signant le retour à une programmation normale. Une fois les choses rentrées dans l'ordre, elle fêtait ça en s'octroyant un de ces cupcakes au chocolat de Hasina en forme de pyramide à tomber pour compenser l'inévitable perte de calories occasionnée par ces deux semaines d'errance.

Mais là, assise dans la zone pour les non-allergiques de la cafétéria de Merston High en compagnie de ses trois meilleures amies, c'était pour célébrer le retour à une *vie* normale que Cléo mordait dans la pointe de sa pyramide en chocolat. Une vie où les yeux de Clawdeen, Lala et Lagoona étaient braqués sur elle comme des zooms ultraperformants. Une vie où les nouvelles (*Frankie!*) et les normies (*Mélodie!*) ne faisaient pas le buzz. Une vie où les téléphones mobiles fonctionnaient dans l'enceinte du palais. Et où elle voyait Deuce le samedi soir. Une vie où elle annonçait sa participation à la séance photo de *Teen Vogue* et où ses amies en pâlissaient d'envie pendant plusieurs semaines. La vie qu'elle était sur le point de retrouver.

Jusqu'ici, tout semblait indiquer que les choses étaient rentrées dans l'ordre. La cafétéria s'emplissait de normies se dirigeant vers leurs tables habituelles dans les zones réservées aux allergiques aux arachides, au gluten, au lactose, et la nouvelle zone «basses calories». Comme d'habitude, les filles qui passaient devant Cléo et ses amies leur coulaient des regards en biais pour mater leurs tenues hyper hype. Et comme Deuce n'était pas là – il était toujours absent le lundi à cause des entraînements de basket –, les garçons n'étaient pas en reste. Les élèves dodelinaient de la tête en rythme avec la playlist de la cantine, qui avait commencé ce jour-là par

I Made It (Cash Money Heroes), de Kevin Rudolf, dont les paroles n'auraient pu tomber mieux.

I've known it all my life
I made it, I made it!

Cléo mastiquait ses calories chocolatées au rythme conquérant claironnant son retour sur le devant de la scène. Avec une lenteur calculée, elle fit défiler les photos de son iPhone, attendant que quelqu'un lui pose la question inévitable.

— J'ai posté les invites pour la fête de mes seize ans aujourd'hui, annonça Clawdeen en mordant dans son double bacon burger. J'ai mis l'empreinte de mes lèvres avec le rouge Girl About Town de MAC sur chaque enveloppe avant de les glisser dans la boîte. C'est pour ça que je suis arrivée en retard en maths ce matin.

Elle s'interrompit, espérant visiblement une réaction. Cléo s'y refusa : elle ne s'était pas trouvée au centre de l'attention depuis plusieurs jours et ça commençait sérieusement à la défriser – ou plutôt à ternir le lustre de sa chevelure ultralisse.

Ce fut finalement Lala qui se pencha vers elle et posa ses yeux d'un brun profond sur l'écran de son iPhone.

— Hé !

Elle fit voler un éclat du glaçage au chocolat de la pyramide de son doigt glacé. Il rebondit sur le sweat noir en peluche de Cléo, avant de couler sur ses leggings *tie & dye* rose et gris.

—Qu'est-ce que tu regardes ?

—Hum, la tache sur mes leggings !

—Sans déc, meuf, ça doit être top frais ce que tu mates sur ton phone, parce que t'as même pas fait gaffe que notre Lala a fait riper son eye-liner, dit Lagoona en pianotant de ses doigts gantés de gris contre sa joue d'un air espiègle.

—C'est pas bien de se moquer des aveugles.

Lala saupoudra de sel la peau sèche de l'Australienne.

—Tu n'es pas aveugle, fit remarquer Lagoona. C'est juste ton reflet que tu peux pas voir.

—Et c'est tant mieux pour toi.

Clawdeen enroula un de ses longs doigts autour d'une de ses boucles auburn.

Lala s'essuya la paupière avec une serviette humide.

—Ce serait surtout tant mieux pour moi si je pouvais ne plus sentir ton haleine de chacal.

Elle sourit, lèvres serrées pour ne pas dévoiler ses crocs.

Cléo, quant à elle, souriait de toutes ses dents. Tout était redevenu normal. C'était le moment.

—J'hésite sur le modèle que je vais porter pour la séance photo de *Teen Vogue*, laissa-t-elle tomber comme si elles ne parlaient que de ça depuis le début de la matinée. J'adore le collier faucon et les boucles d'oreilles gouttes d'eau, mais j'ai comme l'impression que les deux à la fois c'est quand même un peu *too much*, non ?

Les filles froncèrent les sourcils de surprise. Cette scène n'aurait pas pu être plus raccord même si elle avait été écrite. Ce qu'elle avait été, en quelque sorte.

Cléo fit défiler le diaporama qu'elle avait shooté le matin même avec son iPhone. À l'aube plus précisément, à l'heure où la lumière du jour était la plus belle. L'éclat orangé du soleil levant réchauffait l'or de la même façon que le khôl rehaussait le bleu de ses yeux. Elle avait photographié les pièces inestimables sur l'îlot de sable de sa chambre, encadrées par les joncs et les herbes sauvages. Bye bye le chic égyptien et bonjour la splendeur des pharaons. Sa collection perso était glamoureusement royale !

— Qu'est-ce que vous en dites, les filles ? (Elle leur montra les photos du collier plastron et des boucles d'oreilles.) Trop bling-bling ?

— J'en dis que tu devrais mettre sur pause et revenir en arrière.

Lagoona dégagea les mèches blondes qui lui tombaient sur le visage et les entortilla dans des baguettes chinoises laquées couleur d'eau.

— Au poil, siffla Clawdeen. Ces boucles d'oreilles gouttes d'eau sont encore plus fabuleuses que…

— … les émeraudes d'Angelina aux oscars, je sais.

Lala se pencha sur la table, les pointes de ses mèches roses et noires balayant le dessus du gâteau pyramide de Cléo.

— T'en as d'autres ?

— Plein.

Cléo leur montra les bracelets manchettes martelés, la couronne incrustée de pierres précieuses, la bague qui brillait dans le noir, le collier de plumes et le bracelet serpent à l'œil de rubis – avec en prime une photo sublimement éclairée de la carte de visite d'Anna Wintour.

—C'est pas du toc ? s'extasia Lala en touchant l'écran.

—Bien sûr que non ! Mon père les a trouvés dans le tombeau de tante Néfertiti.

—Non, la corrigea Lala. Je parle de la carte !

Cléo leur fit signe de se rapprocher. Une fois leurs têtes réunies en un cercle serré saturé de son parfum ambré, elle leur parla de la rencontre de son père avec Anna, en première classe dans l'avion, de la séance photo *Teen Vogue*, des dunes de sable, des dromadaires, de ses débuts imminents de mannequin et du potentiel infini de contacts que cela impliquait. Elles écarquillaient les yeux à chaque détail.

—Quoi ? T'es sérieuse ?

—Je serais prête à manger de la viande pour être dans *Teen Vogue*.

—Et moi à devenir végétarienne !

Elles se pressaient autour d'elle comme des bandelettes de lin.

—Tu vas vraiment monter sur un dromadaire ?

—C'est qui les autres mannequins ?

—Ils cherchent pas des blondes ?

Des bandelettes agglutinées les unes aux autres comme sur une robe Hervé Léger.

—On peut venir voir ta collection après les cours ?

—On t'aidera à choisir les plus belles pièces.

—Hé, meuf ! on pourra les essayer ?

Par la grâce de Geb ! le blason de la reine Cléo, *leur* reine, venait d'être redoré et lui ferait au minimum un jour ou deux. *Fin de la crise.*

Elle aurait pu poursuivre pendant des heures, et elles l'auraient écoutée. C'est alors que sa pyramide de chocolat, qui se trouvait au centre de leur petit comité, se mit à léviter et disparut progressivement comme si on en croquait des bouchées.

—*Billy !*

Le reste du gâteau retomba dans l'assiette.

—Désolé.

Elles éclatèrent de rire, rompant le cercle embaumant l'ambre, et découvrirent Frankie, Mélodie et Jackson. Les nouveaux venus firent glisser leur plateau blanc sur la table rectangulaire et se joignirent à elles comme s'ils y avaient été invités. Ce qui n'était pas le cas – Cléo, du moins, ne souhaitait pas leur présence.

—Salut !

Frankie leur sourit derrière sa couche épaisse de fond de teint couleur normie. Sa silhouette menue était dissimulée sous un foulard et une combinaison de satin noir qui ressemblait à un uniforme d'aviateur. La large ceinture tressée qui lui sanglait la taille était une louable tentative d'apporter une touche de glamour à sa tenue de camouflage, mais c'était un échec sur toute la ligne : le vêtement intégral évoquait immanquablement les pistes d'atterrissage plutôt que les podiums.

— C'est trop voltage de revenir au lycée, ajouta-t-elle, contemplant l'agitation et les bousculades de la cantine avec délectation tout en secouant la tête au rythme d'*Alejandro*, de Lady Gaga, que la sono venait d'entamer.

Cléo leva les yeux au ciel, incapable de décider ce qui l'agaçait le plus chez Frankie : cette manie de glisser des « voltage » partout, le fait qu'elle lui volait sans cesse la vedette, ou les deux à la fois.

— Le bal a eu lieu vendredi, lui fit remarquer Cléo. Et on est lundi. Tu n'as pas manqué un seul jour.

— Je sais, répondit Frankie en souriant. Et c'est à ces deux-là que je dois dire « merci ».

Elle applaudit Mélodie et la chaise vide à côté d'elle. Jackson, Lala, Clawdeen et Lagoona se joignirent à elle. Cléo repoussa son gâteau. La fête était finie.

— J'hallucine que Bekka ait diffusé cette vidéo, dit Lala à Jackson. T'as dû flipper à mort.

— C'est rien de le dire. (Jackson retira ses lunettes cerclées de noir dont il essuya les verres avec sa chemise écossaise marron et jaune.) J'étais déjà en train de retourner les tiroirs à la recherche de mon passeport quand le message de Mélodie est arrivé.

Il tira d'un geste affectueux un des lacets du gilet à capuche que la normie ne quittait jamais.

Cléo examina le nouveau couple qu'ils formaient et se demanda ce que Jackson pouvait bien trouver à Mélodie. Question physique, c'était indéniablement une belle fille, voire un canon. De longs cheveux noirs, des yeux gris et fendus, un nez parfait et une peau sans défaut. Mais, question style, c'était l'approche « je me fous de quoi j'ai l'air pourvu que je sois à l'aise » d'une Kristen Stewart. Ce qui faisait d'elle un canon manqué, bloqué en mode laisser-aller.

—Billy s'est comporté en véritable héros, déclara Mélodie.

—Le coup de la diversion était ton idée, répliqua-t-il en récupérant le gâteau de Cléo. Et vous auriez dû voir le vent que Mélodie a mis à Bekka. Elle l'a achevée en beauté. Bekka a écopé d'une peine de travaux d'intérêt général, genre deux cents heures.

—J'ai entendu ça, gloussa Clawdeen. Pas mal. Si ça n'avait tenu qu'à moi, je l'aurais envoyée à la chaise électrique.

—C'est pas une peine, ça, plaisanta Frankie.

Mélodie éclata de rire.

—Qu'est-ce que tu fais ici, de toute façon ? fulmina Cléo, incapable de se contenir plus longtemps.

Mélodie blêmit.

—Cléo ! la rabroua Jackson.

—Je veux dire… hum… Je croyais que tu avais des allergies, se rattrapa-t-elle. Tu ne devrais pas déjeuner dans une autre zone ?

—J'ai de l'asthme, mais ça va nettement mieux depuis que j'ai déménagé, répondit Mélodie. Ce matin, j'ai même chanté sous la douche pour la première fois depuis des années, et ma voix était vraiment…

—Tu chantes? l'interrompit Lagoona.

—Tu te douches? marmonna Cléo.

—Les deux, mon général, dit Mélodie, passant outre à la pique. Je me produisais en public quand j'étais petite. Pourquoi? Toi aussi?

—Je joue de la guitare, l'informa Lagoona. Et aussi un peu de piano.

—Faut qu'elle travaille ses raies et ses soles, pouffa Lala dans sa serviette.

—Et toi, faut que tu travailles tes vannes, lui renvoya Lagoona.

Cléo se remit à faire défiler les photos de son téléphone, espérant ramener leur attention vers les choses réellement importantes.

—Bekka s'est fait virer du cours de maths ce matin. Le prof l'a envoyée dans le bureau du proviseur Weeks, déclara Frankie en refermant son poudrier orné de strass noir et bleu électrique.

—Raconte! réclamèrent-ils tous d'une seule voix en se tournant vers elle.

—C'était en première heure. M. Cantor était en retard et on a commencé à parler de toute… l'affaire. Quand Bekka est arrivée, tout le monde l'a applaudie et félicitée pour son canular. Elle a essayé de leur dire que ça n'en était pas un, mais personne ne l'a crue. Ça l'a foutue en rogne et elle s'est mise à balancer des craies dans la classe. M. Cantor est arrivé à ce moment-là et il s'en est pris un morceau en plein milieu du front. Il l'a envoyée direct chez Weeks.

— Trop bien, approuva Clawdeen en piquant un morceau de poulet dans l'assiette de Jackson.

— Et sa minuscule copine aussi, poursuivit Frankie.

— Haylee, grognèrent-ils à l'unisson.

— C'est ça, Haylee. Elle a pris la défense de Bekka en disant qu'elle était dans tous ses états parce que Brett l'avait plaquée, mais…

— Tu sais pourquoi il l'a plaquée? l'interrompit Mélodie.

Les autres rigolèrent en regardant Frankie, qui baissa les yeux sur la table.

— *Hé oui-i*, chantonna Mélodie. Il veut même te rencontrer.

La zone pour les non-allergiques retentit soudain de cris hystériques. Frankie glissa ses mains sous ses fesses. Jackson tenta de se protéger de l'explosion d'hormones féminines derrière les mèches brunes de ses cheveux en bataille. Cléo avait envie de lancer son téléphone à la tête de cette Mélodie qui se mêlait de tout.

— C'est la vérité. Il m'a demandé de faire les présentations.

— C'est bien trop dangereux! aboya Cléo. Et si c'était un piège?

— Et tu vas le faire? demanda Lala en croquant une carotte. Il est plutôt pas mal pour un normie… sans vouloir te vexer, Mélodie.

Mélodie lui sourit pour lui montrer qu'elle ne le prenait pas mal.

—Je sais pas trop, soupira Frankie. Et Holt dans tout ça? demanda-t-elle à Jackson. Je crois qu'il a un faible pour moi.

—Je suppose que je peux lui expliquer, proposa-t-il maladroitement, toujours caché derrière sa mèche.

—Alors, c'est oui? Je vais chercher Brett?

—Non! la retint Frankie. Pas ici. Pas devant tout le monde. Et si Cléo avait raison et que c'était un piège?

—Après les cours, alors, proposa Mélodie. Sur les quais. On restera avec toi, Jackson et moi, juste au cas où. (Frankie soupira à nouveau.) Allez, dis «oui», la pressa Mélodie. Il a vraiment flashé sur toi.

—Très bien. D'accord.

Les filles poussèrent des cris perçants, excitées par procuration.

—On peut venir aussi? demanda Lala.

—Ouais! On montera dans le manège et on fera comme si on vous connaissait pas, renchérit Lagoona.

—Faudra se dépêcher, avant que mes frères nous filent le train, dit Clawdeen. Ils pensent que les quais ne sont pas fréquentables pour une jeune fille.

—Attendez une minute! Je croyais qu'on devait aller voir les bijoux, protesta Cléo sans pouvoir dissimuler sa déception.

—J'ai une idée. (Lagoona la diplomate leva le doigt.) On se fait les quais ce soir, et on va chez Cléo demain, qu'est-ce que vous en dites?

—Pas question! trancha Cléo.

— Pourquoi ça ? voulut savoir Lala, qui n'était pas du genre à se laisser dicter ce qu'elle pouvait faire ou pas.

— Parce que…, bredouilla Cléo, cherchant à gagner du temps, j'ai une surprise pour vous.

— Quelle surprise ?

— Hum… Je comptais vous en parler chez moi, mais bon… Clawdeen et Lagoona poseront aussi pour les photos, lâcha-t-elle tout à trac. Et toi, Lala, j'ai pensé que tu pourrais assister les stylistes, vu que tu n'imprimes pas la pellicule, mais…

Un nouveau concert de hurlements hystériques emplit l'atmosphère saturée de relents de ragoût. Comme d'habitude, les autres élèves se tournèrent vers leur groupe pour voir ce qu'ils manquaient et, comme toujours, Cléo les gratifia d'un grand sourire, ravie de l'attention.

— Mais si vous préférez tenir la chandelle sur les quais, libre à vous. Il faut juste que je sache, pour pouvoir vous trouver des remplaçantes. La balle est dans votre camp.

Les filles l'assurèrent qu'elle n'aurait pas besoin de leur trouver des remplaçantes, et que la séance photo était leur priorité.

— Royal ! conclut Cléo, en espérant, par Geb, que les éditeurs de *Teen Vogue* accueilleraient la nouvelle avec autant d'enthousiasme.

CHAPITRE PERDU

(DONT NOUS OUBLIERONS LE NUMÉRO PORTE-MALHEUR)

CHAPITRE 14

UN GARÇON EFFACÉ

C'était LE sujet de conversation dans la queue de la cantine et dans toutes les fêtes, surtout en ce qui concernait les frères Wolf.

—Alors, Billy, mec, avoue-le, combien de fois tu t'es introduit en douce dans les vestiaires des filles ?

—Y aurait moyen d'y installer une caméra ?

—T'es déjà allé à une de leurs soirées pyjamas ?

—Et les vestiaires du lycée de Holy Oak ? Tu y es déjà allé ?

—L'école de garçons ?

—Ben ouais, pour espionner leurs stratégies de basket. Qu'est-ce que tu croyais ?

—Sûrement pas, frérot. Il est trop occupé à se planquer dans les cabines d'essayage de Victoria's Secret.

Billy faisait semblant d'en rire mais, à la vérité, il n'avait pas envie d'être ce genre de type. Un obsédé invisible qui file le train des filles les plus canons pour écouter leurs conversations. C'était tellement gros. Limite lourdingue. Et puis il n'y avait qu'une seule fille qui l'intéressait. Un regard captivant. Courageuse et déterminée. Sincère. Innocente. Et ces tenues improbables qu'elle était obligée de porter pour aller au lycée, et elle s'arrangeait quand même pour garder le sourire. Et fallait voir comme elle pouvait illuminer une pièce avec ses mains.

Il lui avait acheté un téléphone portable. Il avait organisé une réunion chez elle au pied levé. Il avait risqué sa vie pour sauver la sienne.

En ce moment, elle se dirigeait vers les quais, où elle avait rendez-vous avec un normie du nom de Brett. Flanquée de Mélodie et Jackson. Les rayons du soleil réchauffaient son visage. Son ombre la suivait, grisée par la promesse d'un nouvel amour.

Billy venait derrière. Il était bien ce genre de type, celui qu'il ne voulait pas être. Chacun de ses pas invisibles le rapprochait du moment où il saurait s'il avait une chance avec elle. Pourtant, quelque chose dans ses gestes, dans son pas élastique et ses rires nerveux lui disait que même si elle avait eu conscience de sa présence, s'il s'était habillé et s'était peint le visage pour qu'elle puisse le voir, s'il lui avait déclaré sa flamme un genou à terre… il serait toujours invisible à ses yeux.

Alors il s'arrêta et la regarda s'éloigner.

CHAPITRE 15

NORMIE TENDER, NORMIE SWEET

Le soleil couleur de miel inondait de lumière le jardin public qui bordait les quais, déversant les derniers vestiges de sa chaleur paresseuse sur les pelouses et les allées. Le type de la météo avait promis une journée radieuse, mais il n'avait rien dit de ces rayons dorés qui semblaient suivre Frankie comme un projecteur. Le soleil lui communiquait son énergie et chauffait ses cheveux noirs, distillant la senteur de cerise et d'amande de son shampoing dans son sillage. Non, le type de la météo n'avait pas précisé non plus que c'était le temps idéal pour tomber amoureuse. Peut-être qu'il n'avait pas voulu lui gâcher la surprise.

— Voilà donc le fameux banc de la chance ? demanda-t-elle à ses accompagnateurs comme ils lui faisaient signe de s'asseoir.

— Ouaip. (Mélodie sourit.) C'est là que j'ai rencontré Jackson.

— Mais je parie que tu n'avais pas de combinaison intégrale, dix tonnes de maquillage et une écharpe, dit Frankie, qui
aurait bien voulu pouvoir porter une tenue qui lui ressemble
un peu plus.

— Elle non, mais moi oui, plaisanta Jackson en lui offrant
du pop-corn.

— Non merci, déclina Frankie en effleurant son ventre
où s'agitaient des papillons.

La musique d'un orgue se fit entendre et le manège se mit
en marche. Montant et descendant sur leur cheval préféré,
des enfants normies riaient en agitant la main en direction
de leurs parents, qui leur faisaient signe en retour, les yeux
mouillés de joie, émus des plaisirs simples de la vie. Des rires
enfantins par un bel après-midi, l'odeur du pop-corn qui
flottait dans l'air... S'ils savaient que ce lieu innocent abritait
le repaire souterrain des RAD, fabriqué par les monstres pour
les monstres afin de se protéger de leur monde – le monde des
normies – si dangereux pour eux.

Frankie poussa un long soupir, toute à sa propre confusion.
Qu'est-ce que je suis en train de faire ? Son objectif était d'éduquer
et d'éclairer l'ennemi, pas de flirter avec lui. Brett n'était pas
l'ennemi à proprement parler, mais il était *sorti avec* l'ennemi.
Ses goûts étaient donc discutables.

— Redis-moi ce que je fais là, déjà ?

Mélodie sourit, agitant la main en direction d'une
silhouette dans le lointain.

— La voilà, ta raison, murmura-t-elle.

Frankie se retourna. Brett se dirigeait vers eux à grandes enjambées dans ses rangers. Il marchait d'un pas décidé, déterminé mais pas anxieux.

—Oui. Ça me revient maintenant.

Son jean était du même bleu que les eaux de la rivière Willamette, et son tee-shirt noir délavé juste comme il fallait. Une paire de Ray-Ban vertes dissimulait ses yeux, mais pas son sourire mégawatt.

Lui, l'ennemi ?

Loin des néons du lycée, il semblait différent. Plus frais. Plus juvénile. Plus libre. Il n'avait plus son costume de Frankenstein. Il n'était plus à la télé. Il n'y avait plus de Bekka. Il tenait un bouquet de marguerites dans une main, et le cœur de Frankie qui faisait la roue dans l'autre.

—C'est pour moi, ces fleurs ? le taquina Jackson.

Frankie rit doucement, pas encore prête à attirer son attention.

—Salut. (Brett salua Jackson en lui tapant dans la main avec un gloussement gêné.) Ça va comme tu veux ? dit-il à Mélodie avec un sourire chaleureux – il semblait content de la revoir.

Ils échangèrent des regards, sans trop savoir ce qu'ils devaient faire, tandis que Frankie se tenait un peu à l'écart, attendant qu'ils fassent les présentations. Elle attendit… attendit…

Allez savoir pourquoi, Mélodie et Jackson regardaient Brett comme si c'était indiscutablement à lui de faire le premier pas.

Incapable de patienter plus longtemps, Frankie fourra ses mains débordantes d'étincelles dans les poches ventrales de sa combinaison et fit un pas en avant.

—Alors, demanda Brett, ses yeux glissant sur elle sans la voir. Elle est là ?

—Salut, dit-elle en souriant. (Brett la dévisagea, un peu perdu.) C'est moi. (Frankie écarta son écharpe pour lui montrer discrètement un de ses boulons.) Tu me reconnais ?

Brett sembla soudain percuter.

—Oui, bien sûr, bredouilla-t-il. Tu ne peux pas te balader avec… Je n'avais pas compris… C'est toi !

Il finit par faire le lien entre la fille aux piercings hypra cool de son cours de géographie et la beauté fatale à la peau verte qui avait fait chavirer ses lèvres. Il en resta bouche bée, incapable de prononcer un mot.

—On ne ferait pas mieux d'aller dans un endroit moins fréquenté ? demanda Frankie, craignant qu'il tourne de l'œil et provoque un attroupement.

Elle avait promis à ses parents de ne plus faire d'esclandres et elle était bien décidée à tenir parole cette fois-ci.

—Si tu veux, dit-il, tâchant de se reprendre d'un haussement d'épaules. (Ils se dirigèrent vers la rivière.) Oh ! (Il lui tendit les marguerites.) C'est pour toi.

—En quel honneur ?

—Pour me faire pardonner de t'avoir décroché la tête.

Frankie sortit les mains de ses poches et accepta les fleurs en riant franchement, se débarrassant du même coup d'une semaine de tension, de frustration et de honte. Leurs bras se balançaient à présent naturellement le long de leur corps, tandis qu'ils marchaient côte à côte. Chaque fois que leurs doigts se frôlaient, ses craintes de faire des étincelles s'envolaient un peu plus.

Mélodie et Jackson les suivirent jusqu'à un carré de pelouse ensoleillé au bord de l'eau.

—Mec, j'arrive pas à croire que je suis avec des… (Brett s'interrompit et s'assit dans l'herbe.) Attendez, vous êtes quoi exactement?

—Nous nous appelons des RAD, expliqua Jackson. (Il cueillit un pissenlit dont il effeuilla la tige comme des fils de fromage.) Résistants à l'Apparence Dominante.

—Cool. (Brett s'allongea dans l'herbe, les mains croisées derrière la nuque.) Alors, vous êtes tous des RAD?

—Pas moi, le corrigea Mélodie.

—C'est vrai, dit Brett en se tapant le front. Toi, tu es une NUDIste.

—Une quoi? gloussa Frankie en faisant bouffer ses cheveux pour lui faire respirer les effluves de son shampoing cerise-amande.

—Normies Unis contre la Discrimination Imbécile, récita-t-il fièrement.

Mélodie l'applaudit.

—Tu as bonne mémoire.

—Alors, Jackson, cette vidéo n'était pas un canular?

—Hélas non! (Jackson cueillit un autre pissenlit.)

C'est une réaction chimique de ma sueur qui déclenche la transformation.

Frankie se redressa.

—En parlant de ça, il ne fait pas trop chaud pour toi au soleil? s'enquit-elle, craignant soudain qu'une apparition inopinée de Holt vienne gâcher leur rendez-vous.

—T'inquiète, je garde la tête froide. (Il tapota le mini-ventilateur dans la poche de sa veste.) Au propre comme au figuré.

Frankie éclata de rire à sa blague éculée, mais elle riait surtout parce qu'elle était heureuse. Elle s'allongea aussi sur le dos et contempla les traînées blanches des nuages qui s'effilochaient dans le ciel.

—Je me rappelle très bien la première fois que je t'ai vu, dit-elle à Brett.

Brett roula sur le côté, la tête appuyée dans la main.

—Ah ouais?

Frankie hocha la tête.

—C'était le jour de la rentrée. Tu étais avec Bekka dans la queue derrière moi à la cafète, et elle a dit un truc comme quoi tu pourrais utiliser les fesses d'un monstre comme porte-stylo.

Les joues de Brett s'empourprèrent.

—Ouais, je me souviens qu'elle a dit ça. C'était vraiment nul.

Il retira ses Ray-Ban vertes pour nettoyer les verres avec son tee-shirt.

—Pourquoi tu l'as laissée dire?

Il scruta son visage de ses yeux bleu denim tout en réfléchissant à sa question. Elle lâcha à peine quelques étincelles.

—Bekka se laisse facilement démonter, dit-il en remettant ses lunettes.

—Ah! pas autant que moi, plaisanta-t-elle en montrant les sutures de son cou.

Il rit.

—Je suppose que j'avais peur de la mettre en colère.

Frankie appuya également sa tête sur sa main, laissant dériver son regard dans l'eau.

—Je déteste la peur.

Il gloussa.

—Quoi?

—C'est amusant, c'est tout.

—Qu'est-ce qui est amusant?

—Quand j'étais petit, je voulais être un monstre pour que tout le monde ait peur de moi, et ne craindre personne. Ben, j'avais tout compris. Je veux dire, c'est bien comme ça que ça marche, non? Toi, tu n'as peur de rien, je me trompe? (Frankie considéra la chose quelques instants puis secoua la tête.) Ouah, tu as bien de la chance!

—Mais ce n'est pas parce que je fais peur aux normies. Tu penses! Ils sont bien plus dangereux que moi. Je n'ai pas peur, parce que… bah… je n'ai que deux mois d'existence, et j'en ai passé la plus grande partie cachée dans le labo de mon père.

—Et alors?

—Alors j'éprouve plus de curiosité pour le monde que de peur.

Frankie se rapprocha de lui et fit glisser ses doigts sur les verres de ses lunettes.

—Pourquoi tu fais ça?

—Tu vois, c'est comme ces traces sur tes lunettes.

—Quoi?

—La peur, expliqua-t-elle. Elle nous empêche d'y voir clair.

Brett retira de nouveau ses lunettes et plongea son regard dans les yeux de Frankie comme dans les films romantiques – la scène où le garçon se rend compte qu'il est en train de tomber amoureux de la fille.

—Dommage que tu sois obligée de porter ce fond de teint, dit-il enfin. Ta peau verte, c'est tellement…

—Extra*verti*?

Elle gloussa.

—Extra tout court.

Elle soupira.

—Dommage que les normies ne sachent pas ce que nous sommes vraiment.

Brett chercha sa main, qu'elle lui abandonna. Elle fit courir son pouce sur ses ongles vernis de noir, regrettant de ne pas avoir pris le temps de s'offrir une manucure.

—Merde! Planquez-vous! leur cria Mélodie.

Mais il était trop tard.

—Monstres! hurla une fille qui venait dans leur direction.

Frankie et Brett se redressèrent en sursaut avant de s'aplatir de nouveau tandis que Mélodie les repoussait dans l'herbe.

—Bekka? marmonna Brett en reconnaissant son ex-petite amie.

Vêtue d'un gilet orange, elle traînait derrière elle un énorme sac-poubelle.

—Espèces de collabos qui aident les zombies voleuses de mecs! cria-t-elle à l'intention de Mélodie et Jackson en embrochant une brique de jus de fruit vide de son harpon au manche de bois. Je n'ai pas dit mon dernier mot!

Un homme portant le même gilet orange la rejoignit au pas de course et se dépêcha de l'affecter à un autre secteur du parc.

Mélodie se leva.

—Je ne pense pas qu'elle vous ait bien vus. Filons d'ici avant qu'elle vous reconnaisse.

Personne ne protesta, et ils s'éloignèrent rapidement sans échanger un mot.

Une fois sur Front Street, Brett rompit le silence.

—Je crois que je peux faire quelque chose.

—Et moi je crois surtout qu'elle a besoin d'espace, suggéra poliment Mélodie.

—Je ne parlais pas de Bekka, mais des RAD. (Il tira une carte de visite de son portefeuille de cuir noir.) Tu te souviens de Ross Healy, le journaliste de Channel Two? (Mélodie hocha la tête.) Il m'a demandé de le contacter s'il se passait quelque chose d'intéressant au lycée. Peut-être qu'il pourrait faire avancer votre cause.

— Comment ça ? demanda Frankie, s'interrogeant secrètement sur les motivations de Brett.

— Tu penses à de la télé-réalité ? dit Jackson. Genre, *La Vie secrète d'ados pas ordinaires* ?

— Non, rigola Brett. Un truc sérieux. Plutôt un reportage qui montrerait aux gens qui vous êtes vraiment.

Frankie pesa le pour et le contre. Un reportage de ce genre toucherait un large public. Mais serait-ce vraiment sans danger ?

— Tu pourrais même le réaliser, intervint Mélodie en lui donnant une bourrade de mec. Tu voulais faire un film sur les monstres. Pourquoi pas des interviews-vérité ?

— Je ne sais pas si je suis prêt pour un truc aussi gros, objecta Brett avec humilité. En plus, je ne suis pas sûr que Channel Two laisserait un lycéen réaliser une de ses émissions. Je m'estimerais déjà heureux s'ils m'engageaient pour nettoyer les objectifs de leurs caméras.

— C'est moins risqué que d'embarquer un étranger parmi nous, dit Jackson.

— Pas faux, reconnut Brett.

Il nettoya les traces de doigts laissées par Frankie sur ses lunettes et les remit en place.

— Je sais pas trop, dit Frankie en contemplant les voitures sur la chaussée.

Des voitures pleines de normies qui ne se doutaient de rien – et dont la prise de conscience de cette réalité libérerait les RAD. Mais si elle gâchait tout encore une fois ? Si ce reportage empirait leur situation au lieu de l'améliorer? Si quelqu'un devait en souffrir? Mais si elle ne faisait rien? Que voudraient ses parents?

—À une condition, finit-elle par dire. (Ils hochèrent la tête, attendant la suite.) Tous les visages devront être floutés. Notre identité doit rester secrète.

—Ça marche pour moi, dit Brett.

—Tu peux commencer par moi, proposa Jackson.

—Et moi ensuite, ajouta Frankie.

—Je ferais mieux d'appeler Ross avant que vous vous montiez la tête, les refroidit Brett.

—Trop tard! s'anima Frankie. Je crois vraiment qu'on tient exactement ce qu'il nous faut.

—On est deux.

Brett souriait comme s'il pensait à autre chose qu'au reportage qu'ils allaient tourner ensemble.

Frankie lui rendit son sourire et capta son reflet dans les verres de ses lunettes. Elle avait peut-être l'air d'une tocarde avec sa combinaison d'aviateur, mais elle se sentait belle et bien dans sa peau.

À: FRANKIE

28/09, 18h18

BRETT: ROSS KIFFE GRAVE! J'AI EU DROIT À DU B-MAN AU MOINS 50 FOIS. OK POUR QUE JE LE RÉALISE. UN FILM PRODUIT DE A À Z PAR DES ÉLÈVES DE MH SERA PLUS «VENDEUR», QU'IL A DIT. MAIS FAUT SPEEDER. TU PEUX RÉUNIR TT LE MONDE RAPIDMENT?

À: TOUS LES RAD, MÉLODIE

28/09, 18h21

FRANKIE: UNE OCCASION VOLTAGE DE PASSER À LA TÉLÉ ET DE CHANGER LE MONDE! RDV DANS MON JARDIN À 20 H CE SOIR. APPORTEZ COUVERTURES. DISCRÉTION EXIGÉE. SÉCURITÉ ASSURÉE. XXXXXXX

À: BRETT

28/09, 18h21

FRANKIE: RÉUNION CE SOIR. ASSEZ RAPIDE POUR TOI? ☺ XXXXX

CHAPITRE 16

LA REINE SE MEURT

Les flammes des bougies se reflétaient en vacillant sur les murs de pierre de sa chambre comme sur ceux d'une crypte, apportant une touche d'authenticité à la collection de bijoux antiques artistiquement disposés par Cléo. Ou plutôt, qu'elle avait demandé à ses serviteurs de disposer pour elle. Elle avait séché la conférence sur l'offre et la demande de son cours d'économie de dernière heure pour envoyer un texto à Beb et Hasina. M. Virga, son professeur, aurait pourtant été fier d'elle. Son message abordait les notions de l'offre et de la demande dans leur forme la plus pure. Elle leur *demandait* en effet :

1. Cent bougies parfumées à l'ambre ;
2. Trois bandelettes de lin dans un panier devant la porte de sa chambre ;
3. De cirer les dalles de pierre ;

4. De ratisser le sable de son île ;

5. De disposer des lotus bleus d'Égypte sur les eaux du Nil ;

6. Trois sarcophages ouverts tapissés de miroirs en pied ;

7. De caler sa playlist pour *Teen Vogue* :

   a) *Poppin'*, d'Utada

   b) *Lisztomania*, de Phoenix

   c) *Far From Home*, de Basshunter

   d) *Your Love is My Drug*, de Ke$ha

   e) *Nobody*, des Wonder Girls

   f) *Rude Boy*, de Rihanna

8. Une assiette de crudités et de houmous pour Lala ;

9. Une lotion hydratante sans colorant et non comédogène pour Lagoona ;

10. Des bouchées de bœuf séché bio pour Clawdeen ;

11. De disposer les bijoux sur un présentoir habillé de lin ;

12. Une cuvette d'eau savonneuse et des serviettes de coton égyptien pour se laver les mains.

… et leur *offrait* un délai suffisant pour que tout soit à disposition quand elle rentrerait du lycée.

À présent, accompagnée du lourd parfum de l'ambre et des claquements de mains rythmiques du *Poppin'*, d'Utada, dans la lueur dansante des bougies, Cléo guidait ses amies par le coude, les yeux bandés, dans ses appartements.

Elle les fit avancer jusqu'au présentoir drapé de blanc où étaient exposés ses trésors étincelants. Il se dressait orgueilleusement en face des trois grands sarcophages ouverts, telle une souveraine vêtue de bijoux somptueux devant ses serviteurs.

— Prê-êtes, les filles ? demanda Cléo d'une voix chantante. (Elles hochèrent la tête avec nervosité.) Très bien, vous pouvez enlever vos bandeaux.

Elles retirèrent les bandelettes de lin qui leur couvraient les yeux et les laissèrent tomber sur les dalles cirées. Miu-Miu et Bastet revendiquèrent leurs nouveaux jouets en posant une patte dessus et s'empressèrent de les emporter avant que les oiseaux puissent les leur chiper.

— Mazette ! s'exclama Clawdeen, le souffle coupé. Ils sont encore plus fabuleux en vrai.

— Comme dirait l'autre, pouffa Cléo.

— Je peux toucher ? demanda Lagoona, qui retira ses gants à pois pour tendre la main vers la bague en pierre de lune qui brillait dans le noir.

— Comme dirait l'autre, renchérit Lala.

Elles éclatèrent de rire, mais aucune aussi fort que Lala, qui ne se souciait plus d'exposer ses crocs de vampire.

C'était une vieille blague entre elles, un truc qui les faisait rire aux larmes à l'école primaire. Et qui fonctionnait toujours. Cette camaraderie familière mit Cléo à l'aise. Elle avait retrouvé ses copines.

Après s'être lavé les mains dans la cuvette d'eau savonneuse, chacune s'empara de sa pièce favorite. Lala croquait des bâtonnets de céleri en manipulant les fermoirs des précieuses reliques avec la patience d'une véritable styliste.

Sans une hésitation, Cléo souleva la lourde couronne incrustée de pierres précieuses et la posa sur sa tête. Ses pieds nus épousèrent plus étroitement les dalles sous le poids du bijou et les mèches noires de sa frange vinrent caresser ses cils. Voilà qui vous posait une fille dans l'échelle sociale.

—À *croc*-quer! dit Lala en enregistrant la composition dans un carnet de style en papyrus. Pas de boucles d'oreilles. Rien que ton bracelet serpent et tu seras parfaite.

Elle était si sûre d'elle à huis clos – pleine de vivacité, des opinions bien arrêtées et une grande force de caractère. Une Lala bien différente de la fille maussade et timide qu'elle était au lycée. L'espace d'une seconde, Cléo entrevit les avantages de vivre au grand jour. La liberté était le Glassex de l'âme. Elle laissait passer la lumière. Mais à quoi bon rêver? Les choses ne changeraient jamais.

—Je te suis à sang pour sang, opina Cléo en admirant sa première parure dans le sarcophage placardé de miroirs.

—Je craque pour ces trucs-là, déclara Clawdeen en posant les boucles d'oreilles gouttes d'eau de jade contre ses mèches auburn.

—Rajoute ça et tu tiens le bon bout, la conseilla Lala en lui tendant les bracelets manchettes en métal martelé. Et n'oublie pas de t'épiler les bras juste avant le *shooting*.

—Je vais prendre tout de suite un rendez-vous avec Anya. La séance photo est prévue pour quelle date? demanda Clawdeen en gobant une bouchée de bœuf fumé.

L'estomac de Cléo se noua. L'équipe de *Teen Vogue* n'était même pas au courant de leur existence.

—Euh, c'est le 14 octobre, murmura-t-elle en prenant une coupe de thé glacé à la grenade.

—Matin ou après-midi?

—Fin de journée.

—Coiffure et maquillage fournis?

—Évidemment.

—Les tenues?

—Aussi.

—Le repas du soir?

—Oui.

—Ils nous feront un mot pour qu'on puisse manquer les cours le jour J?

—Certainement.

—Et les déplacements?

—Quels déplacements?

—Aller là-bas et revenir?

—Pour l'amour d'Isis! cessez un peu de parler, je ne m'entends plus *penser*! aboya Cléo, qui se demandait comment elle avait bien pu oublier de confirmer la participation des filles.

—À quoi tu dois penser? s'étonna Clawdeen.

—À rien. Désolée. Tout va bien.

Cléo dégaina son iPhone, effaça prestement un texto inopportun de Frankie qui faisait encore son intéressante et balança un message urgent à Manu.

À : MANU
28/09, 19 h 40
CLÉO : STP CONTACTE TEEN VOGUE AU PLUS VITE. PLUS DE NORMIES POUR LES PHOTOS. ILS DOIVENT PRENDRE CLAWDEEN ET LAGOONA. LALA ASSISTANTE STYLISTE. CONFIRMATION IMMÉDIATE. ^^^^^^^^^^

— C'est trop de la balle, ce caillou ! leur parvint la voix étouffée de Lagoona, qui avait disparu.

— Où est-elle passée ? demanda Cléo à Clawdeen et Lala.

Elles haussèrent les épaules en cherchant autour d'elles.

Soudain, un sarcophage à l'autre bout de la pièce s'ouvrit en grinçant doucement et Lagoona s'en extirpa, les yeux rivés sur la bague en pierre de lune.

— Qu'est-ce que tu fiches dans mon dressing ? lui demanda Cléo avec une grimace malicieuse.

— Je voulais voir si cette pierre brillait vraiment dans le noir, expliqua Lagoona. Et la réponse est « oui ». Ce caillou brille du feu de Dieu ! On dirait un œuf de *tobiko* géant rose nacré, ajouta-t-elle. (Elle faisait référence au caviar de poisson volant où croissaient et se multipliaient ses congénères.) C'est celui-là que je vais porter, y a pas photo.

« Ping ! »

Cléo regarda son téléphone. *Pourvu-que-ça-marche-pourvu-que-ça-marche-pourvu-que-ça-marche…*

À : CLÉO

28/09, 19 h 44

MANU : L'ÉDITEUR VEUT VOIR LEURS BOOKS ET LEURS COMPOSITES AVANT DE LES ENGAGER.

Argh! Cléo enfonça la couronne sur sa tête et invoqua la force de ses ancêtres avant de lui répondre. *Que ferait Cléopâtre VII ?*

À : MANU

28/09, 19 h 44

CLÉO : PAS QUESTION. À PRENDRE OU À LAISSER. MES BIJOUX, MES RÈGLES.

Deux engoulevents gris d'Égypte quittèrent la mezzanine de Cléo à tire-d'aile pour aller s'abreuver aux eaux rouges et boueuses du Nil. Ceux-là, au moins, n'avaient pas de soucis.

—Tu as bien dit que la séance photo était en fin de journée, hein ? demanda Clawdeen en sortant son Motorola Karma de la besace de cuir rouge qu'elle portait en bandoulière. (Cléo hocha la tête, les yeux rivés sur l'écran de son iPhone, appelant de ses vœux une réponse rapide de Manu avec de bonnes nouvelles.) Bonjour Anya, c'est Clawdeen. J'ai une séance photo avec *Teen Vogue* et j'aurai besoin d'une épilation complète le 14 octobre au matin. (Elle regarda ses ongles ultralongs, peints de fines rayures.) Et d'une manucure artistique. Un motif égyptien. Rappelez-moi pour confirmer…

—Demande-lui si elles peuvent me prendre pour un traitement hydratant, l'interrompit Lagoona.

—Et un hammam pour moi, ajouta Lala.

Clawdeen acquiesça et compléta son message.

«Ping!»

À: CLÉO

28/09, 19h53

MANU: OK S'ILS PEUVENT RETOUCHER LES PHOTOS. ILS VEULENT ABSOLUMENT DES PROS. AU MOINDRE PB, ILS ANNULENT TOUT.

—*Yes!* exulta Cléo.

Les engoulevents d'Égypte regagnèrent la mezzanine.

—Tu viens de lire le message de Frankie, toi aussi? demanda Lagoona en agitant son téléphone.

—Hein? Quel message?

—Celui qui dit qu'on va passer à la télé et changer le monde.

Lala et Clawdeen consultèrent leur téléphone.

—C'est la consécration! déclara Lala. D'abord les magazines, et maintenant la télévision!

—On devrait prendre un agent, renchérit Lagoona.

Clawdeen remit en place sa bandoulière.

—On devrait surtout y aller. Le rendez-vous est dans trois minutes.

Lagoona enfila ses gants.

—Attendez, protesta Cléo. Vous n'allez pas partir maintenant?

—Pourquoi pas? demanda Lala dont la tête émergea de son col roulé en cachemire violet.

—Parce que… (Cléo écarta les bras.)… on était en train de faire quelque chose.

—On a fini. (Lala agita son carnet de style pour preuve.) Tout est là-dedans. On n'a plus rien à faire.

—Et les poses à travailler? Et les exercices d'orthoptie pour ne pas loucher?

—Tu plaisantes, là, dit Clawdeen d'un ton catégorique.

—Non. (La lueur vacillante des bougies révéla leurs regards ahuris.) Au cas où vous l'auriez oublié, c'est notre premier *shooting*. Si tout ne se passe pas comme sur des roulettes, ils annuleront tout. Le chic égyptien retombera dans l'oubli pour les cinq mille prochaines années et je ne lancerai jamais ma propre collection de bijoux. C'est la chance de ma vie.

Le simple fait de prononcer ces mots sema le trouble dans son estomac.

—Je comprends très bien ça, Cléo, dit Lagoona, qui détestait les disputes. Mais que fais-tu de la chance de *ma* vie? (Elle reposa la bague en pierre de lune sur le présentoir.) Tu as des relations et un carnet d'adresses de premier ordre.

Mais moi, j'ai quoi? Je rêve d'être une surfeuse pro, mais qui voudra sponsoriser une fille avec des écailles qui surfe avec ses gants? (Lala s'étrangla de rire.) Il faut que les choses changent, Cléo, poursuivit Lagoona en prélevant un peu de l'eau du Nil entre ses mains en coupe pour s'humecter la nuque. Il faut que les normies nous acceptent telles que nous sommes si nous voulons un jour pouvoir réaliser nos rêves.

Cléo leva les yeux au ciel.

— T'en as pas marre de vivre cachée? Tu n'as pas envie de mener une vie normale? demanda Lala en enfilant des tomates cerise sur ses canines.

Clawdeen éclata de rire.

— La, si tu comptes mener un jour une vie normale, t'as encore du boulot.

— Qu'est-ce qui est si fantastique dans le fait de mener une vie normale? les défia Cléo en relevant légèrement le menton.

— C'était pas cool d'aller au bal au naturel? susurra Lagoona.

— Ça n'en valait pas le prix qu'on a payé, si c'est ce que tu veux savoir.

— Et s'il n'y avait aucun prix à payer? tenta Clawdeen.

— Il y en a toujours un, assura Cléo, choquée par son propre cynisme.

Que combattait-elle réellement: le changement en lui-même ou la relève de la garde?

— Je participe à un programme d'échange étudiant parce

que mes parents m'avaient dit que les choses étaient différentes en Amérique, dit Lagoona, soudain sérieuse. Ils disaient que la communauté des RAD était plus zen ici, aux States, et qu'ils allaient changer tout ça. Ils voulaient que j'aie une vie meilleure que la leur. Depuis que je suis arrivée, je n'ai pas eu le cœur de leur dire la vérité. Les mails et les cartes postales que je leur envoie sont remplis de mensonges minables. (Lagoona se dirigea vers la porte.) Alors j'estime qu'on devrait au moins écouter ce que cette Sheila veut nous dire.

Sa démarche charmante de petit canard sembla soudain mortellement ennuyeuse à Cléo.

—Même après les problèmes qu'elle nous a attirés la dernière fois ?

—Ça ne coûte rien d'écouter ce qu'elle a à dire, déclara Lala en suivant Lagoona. Allez, venez.

Clawdeen hésitait entre les deux camps, jouant avec la fermeture Éclair de son sac, visiblement déchirée.

—C'est vrai qu'on devrait travailler nos poses.

Cléo sourit d'un air approbateur. Elle pouvait toujours compter sur cette bonne vieille Claw pour la soutenir.

—Je veux pas jouer les tire-au-flanc, mais on a deux semaines pour ça. (Lagoona posa la main sur la poignée de porte en forme de scarabée.) Et cette réunion me paraît importante.

—Plus importante que *Teen Vogue* ?

Cléo tapa du pied, tâchant de se rappeler quand Lagoona avait pris autant d'assurance.

Lala éclata de rire mais, à part elle, personne ne vit ce qu'il y avait de drôle.

— Oups ! (Elle frissonna.) J'ai cru que c'était une blague.

— Tu t'es trompée.

Cléo croisa les bras sur son tee-shirt en peluche noire, lançant une hanche en avant. Ce brusque déhanchement ébranla sa couronne, qui lui bascula sur les yeux. Elle eut le réflexe de la rattraper avant la chute, mais on ne pouvait pas en dire autant de sa dignité.

— Très bien, dit-elle avec un soupir de défaite. Je viens avec vous.

Elle rangea ses bijoux de reine sur leur présentoir et suivit ses amies chez Frankie, en se jurant bien tout le long du chemin que c'était la toute dernière fois.

CHAPITRE 17

RADICALEMENT VÔTRE

Au fur et à mesure qu'ils émergeaient du bosquet nimbé de la lumière des étoiles, les RAD s'extasiaient à la vue de la cascade secrète des Stein. Frankie les accueillait individuellement d'une accolade en les remerciant d'être venus. Elle proposait à ceux qui avaient apporté leur couverture de prendre place sur la pelouse embuée de brume et envoyait ceux qui étaient venus les mains vides rejoindre Mélodie sur le rebord de pierre du bassin bouillonnant. Ils sortaient à peine de table, mais leurs yeux semblaient avides. De quoi avaient-ils faim ? De changement ? de revanche ? d'avoir leur propre émission de télé-réalité sur MTV ? Mélodie rabattit la capuche de son gilet sur sa tête et enfouit ses mains dans ses manches. Elle le saurait bien assez tôt.

— Bonsoir, accueillit-elle chaleureusement une fille portant des lunettes papillon blanches, des boucles d'oreilles rouges en forme de fermeture Éclair et une masse désordonnée de cheveux bleus. Je suis Mélodie.

La fille émit un borborygme qui ressemblait à «Ghouliaaaa».
Elle sortit ensuite un agenda volumineux de son sac fourre-tout et, lentement, comme si elle était en transe, raya l'inscription «réunion à 20 heures» d'une liste de trois pages.

D'autres RAD se joignirent à elles sur le rebord du bassin en échangeant des commentaires à voix basse d'un air méfiant.

—Pas mal pour une réunion improvisée, non? dit Jackson en tapant dans la main de Mélodie. (Ses doigts étaient tachés de pastels jaune et vert.) Et c'était ton idée, ajouta-t-il en élevant la voix pour se faire entendre par-dessus le bruit de la chute d'eau.

Plusieurs RAD tournèrent la tête à ces mots. Voyant qu'ils étaient destinés à Mélodie, ils se détournèrent et se lancèrent dans des conciliabules.

—Mais non, répondit-elle d'une voix forte.

Si cette idée devait déboucher sur un fiasco, autant que les RAD ne sachent pas d'où elle venait.

—Mais si. (Il repoussa les mèches hirsutes de son front.) T'as pris quoi comme dessert ce soir? De la tarte aux prudes?

Mélodie leva les yeux au ciel pour saluer sa vieille vanne éculée.

—Ha! ha! (Elle lui prit la main et s'empressa de changer de sujet.) On dirait que tu as fait du dessin.

—Juste quelques croquis. (Se penchant en arrière, il trempa les doigts dans l'eau écumante et les essuya sur son jean.) Pendant que Frankie et toi étiez occupées à organiser tout ça, on a bossé sur quelques idées de titres et d'illustrations graphiques pour le film avec Brett.

Il se rapprocha d'elle et lui murmura à l'oreille :

—On a pensé à « *RADicalement vôtre* ». Qu'est-ce que tu en dis ?

J'en dis que tu me donnes la chair de poule quand tu murmures à mon oreille.

—J'adore, gloussa-t-elle.

—Ross aussi.

Jackson était rayonnant.

Les entrailles de Mélodie se dilatèrent de contentement. Elle avait envie de hurler.

— *Yessss*, articula-t-elle.

Le son qui sortit de ses lèvres tenait davantage de la mélopée. Une voix claire, pure, magnifique. Un son qu'elle n'avait plus entendu depuis des années. L'exaltation qui s'empara d'elle fut si puissante qu'elle se jeta dans les bras de Jackson pour ne pas s'envoler.

—Il y a des stèles pour ça, grogna hargneusement quelqu'un. *Cléo !*

Flanquée de ses amies, la pharaconne se mit en quête d'un endroit où s'asseoir en traînant des pieds. Julia se leva et lui offrit sa place sur le bord du bassin, que Cléo accepta sans une hésitation. L'une après l'autre, trois autres RAD cédèrent leur place aux copines de Cléo. Elles avaient payé ces filles pour les garder au chaud, ou quoi ? Étaient-elles si impressionnantes que ça ? Comme si Mélodie avait besoin de se le demander, elle qui avait passé sa vie à chauffer la place des filles populaires de Beverly Hills! Ça ne valait pas le coup de se battre pour un siège. Rien ne valait le coup de se battre… jusqu'à présent.

Soudain, les eaux de la cascade se turent et les ultimes jets jaillirent en gargouillant comme le robinet d'une baignoire supersonique qu'on viendrait de fermer. Le silence – abrupt et discordant – s'abattit sur l'assemblée comme une claque.

—Voilà qui est mieux.

Frankie leva les pouces à l'intention de ses parents, qui se tenaient au fond du jardin émaillé de couvertures, une télécommande à la main. Ils avaient décidé de lui faire confiance. C'est ce qu'ils avaient dit, mais leurs sourires crispés et leurs visages maussades exprimaient clairement qu'ils attendaient encore qu'elle fasse ses preuves. Ils avaient manifestement l'intention de s'incruster pour voir ce qui allait se passer.

—Je voudrais d'abord vous remercier d'être venus comme ça, au pied levé, poursuivit Frankie.

Elle s'assit au sommet de la cascade, balançant les jambes dans le vide contre le dénivelé. Elle portait toujours sa combinaison d'aviateur et son maquillage de normie, mais avait enlevé son écharpe. À chaque coup de pied, ses délicats boulons cervicaux accrochaient la lumière blanche et froide de la lune.

—La semaine dernière, j'ai voulu montrer aux normies du lycée que nous autres, les RAD, on était top voltage. Nous savons tous comment les choses se sont terminées. (Quelques ricanements s'élevèrent puis s'apaisèrent.) Mais aujourd'hui, grâce à Mélodie, une nouvelle chance nous est donnée.

Non! elle n'allait pas remettre ça.

— La normie? pépia un garçon au faciès de gecko assis sur une natte de bambou.

— Ce n'est pas une normie, rétorqua Jackson. (*Quoi?*) C'est une NUDIste!

— Ça, je kiffe, roucoula Gecko Boy.

Il tapa dans la main de son pote, puis il fit pivoter la sienne pour décoller leurs paumes soudées.

Encore des ricanements. Viktor et Viveka se regardèrent.

— Ça veut dire les Normies Unis contre la Discrimination Imbécile, intervint Billy d'on ne sait où. Et, si tu veux savoir, tu fais toi-même de la discrimination imbécile en refusant de lui laisser une chance.

Mélodie se leva et adressa un sourire de remerciement d'un bout à l'autre de la pelouse, afin que Billy puisse la voir, où qu'il soit.

— *Ka!* s'étrangla Cléo en dissimulant son étonnement dans une quinte de toux.

Clawdeen lui donna un coup de coude surpris en gloussant avec nervosité.

Après toutes ces années à faire profil bas, Mélodie relevait enfin la tête.

Des dizaines d'yeux étaient braqués sur elle, brillant dans le noir comme les illuminations d'un sapin de Noël – verts, rouges, jaunes pour la plupart. Ils la dévisageaient avec intensité, comme s'ils attendaient d'elle qu'elle les transporte en un lieu où ils n'étaient encore jamais allés. Comme le public qui venait l'entendre chanter autrefois. Mais, à la différence des récitals où elle n'avait qu'à s'abandonner à sa voix de velours qui coulait sans effort, Mélodie devait s'en remettre désormais aux mots, qui avaient toujours eu plus de mal à sortir. Elle s'avança dans la lumière, prête à prendre sa propre défense – un rôle qu'elle n'aurait jamais cru pouvoir assumer. Elle était pourtant là, devant tout le monde, sur le devant de la scène.

—Je sais pourquoi vous ne me faites pas confiance, commença-t-elle, les jambes flageolantes. Et je crois qu'à votre place j'en ferais autant. Je suis pourtant de votre côté. Je croyais vous l'avoir prouvé en emmenant Billy à l'hôpital, mais je vois bien que ça ne vous suffit pas. Je vais donc redoubler d'efforts.

Au fur et à mesure qu'elle parlait, ses poumons se libéraient. Sa voix devenait plus claire, plus fluide, plus soyeuse. Tel un vieux moteur rouillé qui manquait d'huile, ses cordes vocales avaient simplement besoin d'être remises en route et rodées de nouveau.

—Pourquoi tu t'intéresses tellement à nous ? demanda Cléo d'une voix suintant l'ennui.

—Parce que je sais l'effet que ça fait de devoir céder sa place à quelqu'un qui se croit supérieur. Je sais l'effet que ça fait de désirer être « normale » à un point tel qu'on en vient à cacher ce qui fait de nous ce que nous sommes. Et, plus que tout, je sais ce que ça fait de tout changer. C'est ce qu'il y a de plus terrible.

Julia, manifestement touchée par les paroles de Mélodie, opina du chef. Mais elle baissa la tête si lentement qu'elle perdit ses lunettes qui tombèrent sur le sol. Gênée, elle se pencha pour les ramasser, une vertèbre après l'autre, puis recula lentement se cacher dans l'obscurité.

—Je vous en prie, accordez-moi votre confiance, poursuivit Mélodie. Et lorsque vous vous lèverez pour défendre votre cause, laissez-moi me tenir à vos côtés. Ensemble, nous pourrons…

Elle fut interrompue par une salve d'applaudissements. Les yeux brillants des RAD étaient embués de sympathie, et ceux de Mélodie de soulagement. *Ça n'était vraiment pas plus compliqué que ça?*

Souriant à Jackson, elle se rassit et laissa s'envoler quinze années d'angoisse existentielle vers le ciel étoilé dans un profond soupir.

Une fois le silence revenu, Frankie annonça la présence du «mec hyper voltage» qui allait aider les RAD à faire leurs premiers pas vers la revendication de leur liberté. Brett Redding sortit de l'ombre du bosquet en agitant la main et fut accueilli par un étonnement audible. Lui-même hoqueta de surprise en découvrant la flamme qui brillait dans les yeux de son public.

Impressionné, il s'adressa à eux depuis le fond de la pelouse.

—Hé! Les gens, c'est trop fort! murmura-t-il. (Ils se tournèrent vers lui.) Bon… (Il tapait dans ses mains avec nervosité.) Euh… j'ai de bonnes nouvelles pour vous… Attendez, je ferais sans doute mieux de commencer par me présenter. Je m'appelle Brett Redding – mais vous le savez sûrement puisqu'on est dans le même lycée. Je suis le type qui a accidentellement décroché la tête de Frankie et ensuite perdu les pédales, ce que vous savez aussi sûrement si vous regardez la télé. (Il gloussa. Il fut le seul.)

» Bref, pendant que j'étais à l'hôpital, un des types de la télé m'a donné sa carte et, pour faire court, disons que Mélodie, Jackson et Frankie ont pensé que ce serait une bonne idée de tourner un documentaire sur vous pour montrer que vous êtes des gens cool, et Ross – le journaliste – aussi. Il m'a donné carte blanche pour le film, qui sera diffusé sur Channel Two pendant la semaine Pleins Feux sur l'Oregon. Vous avez des questions?

De nombreuses mains se levèrent. On aurait dit une audition pour une publicité de déodorant.

—Euh… toi avec les lunettes.

—Quoi de neuf, Brett?

—Oh! salut Deuce. Je t'avais pas reconnu dans le noir. Ça va, mec?

—Je me demandais juste quelles étaient tes motivations. Tu n'as rien à prouver.

—Ce truc est une combinaison des deux choses que je kiffe le plus dans la vie: la réalisation et les mons… je veux dire, les RAD. (Il marqua une pause puis leva les yeux vers Frankie.) Et maintenant que je vous connais un peu mieux, j'ai envie de vous aider.

—Ça me va, dit Deuce d'un air satisfait.

—Et c'est tout? (Cléo avait l'air dégoûté.) Ça te suffit comme réponse?

—Ouaip, se contenta de répondre Deuce.

—Qu'est-ce qu'on doit faire pour être dans ton film? demanda quelqu'un.

—M'accorder une interview. Partager vos photos, vos histoires, vos espoirs, vos rêves…, expliqua Brett.

—Ça m'a l'air risqué, objecta quelqu'un d'autre d'une voix sourde.

—Tous les visages seront floutés, personne ne saura qui vous êtes. Votre identité ne sera pas révélée. Ce n'est qu'un premier pas destiné à montrer aux gens que vous n'êtes pas dangereux.

—Dis donc, mec! on pourra voir ce film partout dans le monde? demanda Lagoona.

—Il sera diffusé localement pour l'instant. Mais je pourrai te faire des copies si tu veux.

—Vendu!

Les questions affluaient.

—Où se passe le tournage?

—Dans mon bungalow. C'est un endroit entièrement privé.

—C'est quoi le titre du film?

— *RADicalement vôtre.*

Une vague de rires indiqua que la foule appréciait.

— Tu pourras faire aussi des interviews audio… Tu sais, pour ceux qui n'impriment pas la pellicule? voulut savoir Lala.

— Bien sûr! Il me suffit de montrer d'autres images pendant que vous répondrez à mes questions.

— Trop goule!

— Ça passera quand à la télé?

— Le 14 octobre, répondit Brett. À propos! ceux d'entre vous qui seront dans le film devront être en studio le jour de la diffusion. La chaîne veut que vous répondiez en direct aux questions des téléspectateurs.

— Mais tout le monde saura qui ils sont, fit remarquer Viktor de sa voix de basse.

— Je m'assurerai que les visages soient floutés également sur ces prises. Et… on postera des agents de sécurité à l'entrée du studio. Personne ne vous verra entrer ou sortir.

Cléo se leva.

— On s'en va, dit-elle à ses amies. (Personne ne fit un geste.) Vous avez entendu. (Elle remonta son sac sur son épaule.) Vous devez être disponibles le 14 octobre et vous êtes déjà prises. Alors on n'a plus rien à faire ici.

Les trois filles se regardèrent.

— J'ai dit: «On s'en va!» (Cléo tapa du pied.) Ce film… j'ai oublié son nom, sera diffusé le même jour que votre séance photo avec *Teen Vogue*. *T-e-e-n V-o-g-u-e*, leur rappela-t-elle en épelant le nom du magazine à pleins poumons au cas où les gens de Portland n'auraient pas entendu. J'ai donné ma parole à l'équipe éditoriale qu'on serait des pros ; il faut qu'on soit à la hauteur.

Les filles se levèrent avec réticence.

—Attendez ! les retint Mélodie, qui ne voulait pas perdre les locomotives du groupe. Tu ne peux pas changer la date de ta séance photo ?

Cléo lui lança un regard haineux en plissant les yeux, écrasant Mélodie entre ses faux cils.

—Pourquoi pas celle de *ton* émission ?

—C'est impossible. Le film doit impérativement être diffusé pendant la semaine Pleins Feux sur l'Oregon. Ton truc à toi, c'est seulement de la mode, tu ne peux vraiment pas…

—Ce n'est pas *seulement* de la mode, cracha Cléo. C'est de la mode *et* de l'histoire. L'histoire de *mon* passé.

—Et ce documentaire concerne *ton* avenir, répliqua Mélodie.

Elle eut droit à une nouvelle rafale d'applaudissements.

Cléo se retourna pour affronter ses détracteurs.

—Un avenir qui sera compromis si vous le remettez entre les mains des normies !

Elle leur tourna le dos et s'aperçut que ses amies s'étaient rassises et se serraient les coudes pour afficher leur solidarité. Mélodie eut vaguement pitié de Cléo, mais elle était ravie que ces filles-là aient décidé de faire partie du film.

— Ah, c'est comme ça ? lâcha Cléo avec un sourire de mépris.

Sans ajouter un mot, elle passa à côté de Brett et s'enfonça dans le bosquet, laissant un sillage de colère ambrée derrière elle.

Happée une nouvelle fois par cette odeur douce-amère, Mélodie se demanda si ses efforts pour se faire accepter par la communauté des RAD serviraient à les rassembler ou au contraire à les déchirer.

CHAPITRE 18

L'ESPIONNE QUI VENAIT DU RÂ

La dernière sonnerie de la journée émit son « bip-bip-bip ». C'était fini. Elle avait survécu.

Son troisième jour au lycée sans ses amies avait été identique au deuxième, lui-même strictement semblable au premier. *Inconcevable !* L'anéantissement de sa vie sociale était une option que Cléo n'avait jamais envisagée. Qu'allait-il arriver ensuite ? Clawdeen se ferait poser des extensions capillaires ? Lala s'équiperait de couteaux à steak ? Lagoona irait en camp d'été au Sahara ? Quoi qu'il en soit, confrontée à l'inimaginable, Cléo devait faire contre mauvaise fortune bon cœur et envisager sa vie d'après… ou du moins s'arranger pour faire bonne figure.

Geb soit loué ! elle avait toujours Deuce. Il était resté scotché à elle comme de la résine liquide. Mais au bout de soixante-douze heures de débriefings de basket, de virées shopping dans les magasins de lunettes de soleil, de déjeuners sans potins et d'immersion dans les odeurs corporelles masculines, Cléo commençait à déchanter.

— Mon match commence dans quarante minutes, dit-il en lui tenant ouverte la double porte du plat de ses Converse montantes Varvatos. Tu veux peut-être aller manger un morceau avant ?

Cléo contempla son reflet dans ses lunettes d'aviateur Carrera marron. Un ciel d'octobre lugubre en arrière-plan… un col roulé noir qui manquait de peps… un regard vide. Elle soupira. Des matchs de basket et des pizzas, voilà ce qu'était devenue sa vie…

Autour d'elle, les lycéens de Merston High se déversaient des bâtiments moutarde. Des groupes d'amis s'agglutinaient comme des aimants pour se raconter leur journée par le menu avant de rentrer chez eux poursuivre leurs conversations par textos. C'était le moment le plus douloureux de son exil. L'heure qu'elle redoutait le plus.

— Il y a quand même un truc que je ne saisis pas, grommela Cléo pour la énième fois depuis soixante-douze heures. Comment est-ce qu'on peut préférer cette idiote à *Teen Vogue* ?

— C'est leur problème, répondit Deuce d'un air absent en tapant dans la main d'un de ses potes de l'équipe de basket, lui donnant rendez-vous sur le terrain.

Ravalant son irritation d'avoir été interrompue, Cléo s'agrippa fermement au bras de Deuce pour s'attaquer aux marches de l'escalier extérieur, dangereusement perchée sur des mules compensées python de huit centimètres.

— Tu crois qu'elles vont changer d'avis? demanda-t-elle.

— C'est encore une option? s'étonna-t-il en saluant un autre de ses coéquipiers.

— Elles ont intérêt. La séance photo est dans treize jours.

— Attends, je croyais qu'elles avaient lâché l'affaire.

— Je n'ai pas encore prévenu l'équipe éditoriale qu'elles nous avaient «lâchés».

— Bravo! (Deuce fit mine de taper dans la paume d'un troisième pote.) Qui a dit que les momies n'avaient rien dans le ventre?

Cléo l'obligea à baisser le bras.

— Je pensais qu'elles seraient déjà revenues en rampant.

Juste à ce moment-là, ils aperçurent Clawdeen, Lagoona et Lala qui quittaient le lycée, balançant leur sac en riant aux éclats comme si c'était le dernier jour d'école. Elles auraient aussi bien pu les envoyer directement dans le cœur de Cléo qu'elles ne l'auraient pas brisé davantage.

— Tu devrais peut-être leur parler, suggéra Deuce après qu'ils eurent traversé le campus en silence.

— Pour leur dire quoi? (Cléo lâcha le bras de Deuce.) «Désolée de vous avoir offert une occasion unique de porter l'inestimable collection de bijoux de tante Néfertiti?» Ou alors: «Me pardonnerez-vous un jour de vous avoir proposé de travailler pour un grand magazine?» Et pourquoi pas «Je n'aurais jamais dû me porter garante de votre attitude de pros » tant qu'on y est ! hurla-t-elle sans plus se soucier que l'ouïe ultrafine de Clawdeen puisse percevoir ses commentaires acides.

—Je vois le topo. (Deuce remit en place son bonnet de snowboard marron et vert.) Laisse béton. Allons casser la croûte.

Des bruits de pas précipités résonnèrent derrière eux.

—Che crois qu'on l'a loupé, dit une fille d'un air déçu.

—Che t'avais bien dit qu'on aurait dû che chéparer, articula laborieusement sa copine. Qu'eche-qu'on fera chi Maddie et Chimona le trouvent les premières ?

Cléo se retourna sur deux filles de troisième au visage blafard et aux lèvres rouge cerise, qui arboraient capes et justaucorps noirs. Sans leurs fausses dents de vampire, on aurait pu croire qu'elles venaient de percuter une peinture encore fraîche représentant le drapeau canadien.

Laissant Deuce traverser au passage clouté, Cléo s'arrêta pour les attendre.

—Pardon de vous poser cette question, mais pourquoi êtes-vous habillées comme ça ?

La blonde – qui avait manifestement bombé ses cheveux à la peinture noire, hormis quelques mèches jaunes oubliées dans son dos – retira ses fausses dents et se pencha vers elle pour lui chuchoter à l'oreille :

—T'es pas au courant ? (Elle sentait l'aérosol et le gloss à la cerise. Cléo haussa un sourcil et secoua la tête en signe de dénégation.) Brett Redding organise un casting pour tourner une émission de télé-réalité sur les monstres. Il paraît que ça sera diffusé sur CW.

—Che croyais que ch'étais Foxch News, achouta la fauche vampire naturellement brune.

—Mais vous n'êtes pas des monstres, s'étonna Cléo en fouillant du regard le campus en train de se vider en quête d'une explication plausible.

—Mais chi.

La fauche vampire cligna de l'œil avant de retirer ches fauches dents.

—C'est encore une blague? demanda Cléo, sans tenir compte de Deuce qui lui faisait des signes depuis le trottoir d'en face. Qui vous a raconté ça?

—Pourquoi? Tu veux tenter le coup toi aussi? l'interrogea Blondie d'un air suspicieux.

—Il y a déjà assez de vampires, la prévint la brunette.

—Tu pourrais être une jolie sorcière, suggéra la blonde. Il y a tout un tas d'accessoires dans le placard. La salle de théâtre doit être encore ouverte si tu veux jeter un coup d'œil.

—Ou une Barbie maléfique? renchérit la vraie brune.

—Ou une tomate mutante de *L'Attaque des tomates tueuses*, pouffa Blondie.

—Ouais! Trop fort! gloussa sa copine. T'auras qu'à te peindre en rouge et te fourrer du *bok choy* dans le nez.

—«Du *bok choy*»? Pourquoi du *bok choy*? Tu délires complètement!

—J'adore ces petits choux chinois. *Bok choy, bok choy, bok choy.*

Elles redoublèrent d'hilarité.

Cléo les fusilla du regard. Si elle avait pu secouer la tête plus fort, elle aurait décollé comme un hélicoptère.

—Qui vous a parlé de cette émission ?

Blondie farfouilla dans son sac à dos beige et tendit à Cléo un flyer froissé.

—Tu vois cette fille de seconde… Tu sais, des lunettes de grand-mère et des collants hallucinants… Celle qui suit l'ex de Brett comme un petit chien en textotant. (Cléo hocha la tête. *Haylee !*) Elle m'a refilé ça à la cantine.

BRETT REDDING
est possédé
par les
ZOMBIES

ILS L'ONT OBLIGÉ À CASSER AVEC SA COPINE ET À TOURNER
UN FILM DE PROPAGANDE POUR LES MONSTRES.

RÉSISTER OU
ABDIQUER !
IL FAUT CHOISIR TON CAMP.

Rendez-vous devant le drapeau de
l'entrée principale pour organiser
notre stratégie de défense.

MARDI 1ER OCTOBRE À 15 H 15

* FLYERS IMPRIMÉS PAR LE COMITÉ CHASSE
(COMITÉ DES HUMAINS ASSOCIÉS POUR
LA SUPPRESSION SYSTÉMATIQUE DES
ENVAHISSEURS)

Cléo fit une boule de la feuille froissée.

—C'est encore un canular. Tu peux me croire.

—On ch'en fout, dit Blondie en remettant ses fausses dents. Tant pis pour toi.

Les filles déguerpirent pour aller chercher leur quart d'heure de célébrité, et Cléo envoya le flyer au panier d'un tir direct qui aurait impressionné Deuce s'il avait pu le voir. Mais il lui tournait le dos, assis sur une bouche d'incendie, et pianotait des pouces en rythme sur la musique qu'il écoutait à plein régime avec son iPod.

—On y va, lui signifia Cléo en retirant d'un coup sec l'oreillette droite de son casque.

—C'étaient qui, ces filles? s'enquit-il en se levant.

—Des normies débiles qui veulent être dans le film de Brett, siffla Cléo. Je n'arrive pas à comprendre pourquoi tout le monde veut participer à ce truc.

—Tu veux dire les normies? demanda-t-il en appuyant fébrilement à plusieurs reprises sur le bouton «appel piétons» du feu rouge.

—Non, je veux dire tout le monde, répliqua Cléo. C'est du suicide.

Le petit bonhomme vert se mit à clignoter.

—Je vais y participer, dit Deuce en s'engageant sur la chaussée.

Cléo le retint par le col de sa veste.

—Quoi? Pourquoi tu ne m'as rien dit?

—Ça me semblait évident.

—« *Évident ?* » (Un sentiment d'insécurité se fraya un chemin dans le ventre de Cléo, pour venir se lover dans la région du cœur.) Pourquoi je devrais trouver *évident* que tu participes à un film qui me pourrit la vie ? Pour moi, ce qui était *évident*, c'est que tu viendrais à ma séance photo pour me soutenir. Pas que tu serais du côté de l'ennemi !

Une vieille dame passa à côté d'eux à pas menus. Elle dévisagea Cléo avec mépris, se demandant sans doute pourquoi une si jolie jeune fille faisait une scène en pleine rue. Cléo plissa le nez et tira la langue à cette vieille bique qui se mêlait de ce qui ne la regardait pas. La femme détourna les yeux, horrifiée. Cette grossièreté ne régla pas le problème de Cléo, mais ça faisait du bien.

Deuce lui prit la main.

—Cléo, je ne suis pas ton ennemi, tu sais.

—À partir de maintenant, si ! éclata-t-elle en retirant sa main, avant de s'éloigner aussi vite que le lui permettaient les talons de huit centimètres de ses mules.

Son cœur sombrait un peu plus à chacun de ses pas chancelants. Elle était désormais totalement seule. Mais elle aurait tout le temps de s'apitoyer sur son sort. Dans l'immédiat, il lui fallait un plan. Et vite. Elle se retourna vers les bâtiments du lycée.

Balayé par le vent sous les nuages menaçants, le campus était vide à l'exception de deux silhouettes voûtées, assises en tailleur près du drapeau. *Ah !*

Exactement ce qu'il lui fallait, nom d'un chat !

— Venez-me-rejoindre-sous-les-tribunes-face-au-distributeur-mais-s'il-y-a-quelqu'un-faites-comme-si-on-ne-se-connaissait-pas…, leur chuchota Cléo en passant à côté d'elles.

Elle monta les marches de béton sans se retourner en claquant des talons.

Elle ouvrit ostensiblement son casier et enfouit son livre d'histoire dans son fourre-tout en cuir doré métallisé juste au cas où Billy, qui n'avait ni ses yeux ni sa langue dans sa poche, traînerait dans le coin. Elle tendit l'oreille pour repérer sa respiration et scruta le sol pour y chercher d'éventuels papiers de Kréma. Rien. Elle se glissa alors furtivement par la porte de derrière.

Cléo avait rarement l'occasion d'aller au stade. En ce qui la concernait, les pistes étaient faites pour les caravanes de dromadaires dans le désert et le marbre était un matériau de construction utilisé pour la décoration. Mais c'était une affaire de vie ou de mort. Il fallait savoir faire des exceptions.

Bekka et Haylee étaient déjà sous les tribunes. Après s'être assurée qu'aucun footeux ne traînait dans le coin, Cléo grimpa dans les gradins et s'assit juste au-dessus du lieu de rendez-vous qu'elle leur avait fixé. Elle ouvrit son manuel d'histoire et fit mine de lire son cours sur l'Acte de l'Amérique du Nord britannique de 1867. Après un dernier coup d'œil alentour pour s'assurer que les gradins étaient vides, elle fit claquer le talon de bois d'une de ses mules contre la surface métallique.

—Vous m'entendez? murmura-t-elle. Tapez un coup pour «oui». («Toc.») Vous travaillez seules? («Toc.») Qui vous a parlé de ce film? poursuivit-elle à mi-voix, se demandant s'il y avait des fuites côté RAD.

—Ross Healy de Channel Two, répondit Bekka sur le même ton. Je faisais partie des références sur le CV de Brett. Je lui ai dit que c'était un réalisateur génial avant qu'il me parle de ce film de propagande pour les zombies. Bon Dieu, pourquoi est-ce que je n'ai pas pensé à lui poser la question avant de lui dire quoi que ce soit sur Brett? Je me sens tellement…

Cléo l'interrompit d'un coup de talon.

—Pas le temps pour les états d'âme. Réponds seulement à mes questions. (Elle tourna la page de son livre d'histoire.) Quels sont vos objectifs?

—Un, mettre un terme à la propagande promonstres en empêchant la sortie du film. Deux, prouver qu'il y a des monstres à Salem et les traîner en justice. Trois, récupérer Br…

«Toc!»

—Pas de sentiments.

—Désolée.

Cléo considéra le projet tripartite de Bekka avec soin. Elle partageait son objectif numéro un. Si le film ne sortait pas, les filles imploreraient son pardon à genoux et, plus important, reviendraient à *Teen Vogue* en courant. Elle aurait alors tout le temps de s'occuper de Bekka avant qu'elle passe à la deuxième étape.

—Tu as un plan? («Toc.») Je t'écoute.

—Comment savoir si je peux te faire confiance? demanda Bekka, prenant la main et l'avantage.

—Je suis là, non? lâcha sèchement Cléo.

—Ce n'est pas assez, rétorqua Bekka sur le même ton.

Cléo tira la langue au banc d'aluminium sous lequel se trouvait Bekka. *Cette ringarde de normie a-t-elle la moindre idée de qui je suis?*

—Tu pourrais aussi bien être une espionne, précisa Bekka.

—C'est exactement ce que je suis, rétorqua Cléo, réfléchissant à vitesse grand V. Mais pas pour eux. Je suis dans l'autre camp. Je les surveille depuis des années.

Bekka et Haylee échangèrent quelques mots à voix basse.

—Pourquoi?

—Je déteste les zombies. C'est une longue histoire, répondit Cléo avec un pincement de cœur en songeant à Julia.

Mais à la guerre comme à la guerre. Si elle devait dénigrer les morts-vivants pour survivre, elle n'hésiterait pas un seul instant. C'était pour leur bien.

—Qui est leur chef? Quel est leur objectif? Quelles sont leurs faiblesses?

Cléo pinça les lèvres. Elle voulait saboter le film, pas détruire ses amis. Royal et loyal allaient de pair.

—Prends-nous dans ton équipe, la pressa Bekka.

—Pas question. Je travaille seule.

—À quoi tu peux nous servir, alors?

—Je peux vous retourner la question, répliqua Cléo aussi sec.

—Je connais tous les mots de passe de Brett. Je peux entrer dans son ordinateur pour effacer son film et l'empêcher de le diffuser.

Un point pour elle.

—Comment comptes-tu t'introduire chez lui?

—Il travaille au lycée. Dans la salle informatique. (*Deux points pour elle.*) Et toi? Qu'est-ce que tu peux faire?

—Vous prévenir quand le film sera terminé pour l'effacer au bon moment, offrit Cléo.

Nouveau conciliabule.

—Ça me va, accepta Bekka, l'air de concéder une immense faveur à Cléo. Ça veut dire que tu veux faire partie du comité CHASSE?

—À deux conditions. (Cléo tourna une autre page de son manuel.) Un, personne ne doit savoir que je suis membre du comité. On est d'accord?

—Pourquoi ça?

—On est d'accord ou pas? («Toc.») Deux, toi et Haylee arrêtez d'écrire ce roman-feuilleton débile pour téléphone portable à mon sujet.

—Tu es au courant? s'étonna Haylee de sa voix de fausset.

Cléo donna un coup de talon.

—On parle bien d'*En Bek et contre tout ou l'histoire vraie d'une fille qui a su retrouver sa popularité après qu'une autre fille – CLÉO pour ne pas la nommer – s'est fait fracasser par*

Bekka pour avoir chauffé Brett et a ensuite raconté à toute l'école que Bekka était une folle furieuse infréquentable ? Ouais, je suis au courant.

Des murmures montèrent des gradins, s'échappant des interstices entre les bancs d'aluminium.

—On est d'accord ? les relança Cléo impatiemment. (« Toc. ») Bien. (Cléo se leva et quitta les tribunes en claquant des talons.) Je vous recontacterai.

CHAPITRE 19

CHAUD ET FROID

Vu de l'extérieur, le bungalow de Brett ne payait pas de mine. Relégué au fond du jardin – derrière la cabane dans les arbres, le barbecue et le jeu de jokari –, on aurait dit un de ces ados timides qui se planque au fond de la salle et regarde les autres s'éclater sur la piste de danse. Le placage extérieur en cèdre décati disparaissait sous les toiles d'araignées et les feuilles sèches et était envahi par les herbes folles et les déjections des oiseaux. Les fenêtres étaient mouchetées de boue. Pas le genre de garçonnière où un gentleman emmenait une dame pour leur tout premier rendez-vous. Mais Frankie n'était pas une dame comme les autres. Et ce n'était pas un rendez-vous ordinaire.

—Et voilà, annonça Brett en faisant coulisser la porte.

Deux yeux rouges et luisants surgirent dans leur direction et s'immobilisèrent sous le nez de Frankie. Heureusement qu'elle vit la fausse chauve-souris de caoutchouc noir qui tressautait au bout de son fil, ou elle aurait pu cracher des étincelles jusqu'à Thanksgiving.

—Elle est chou, dit Frankie en caressant le ventre distendu de la bestiole.

Elle remarqua l'inscription « MADE IN CHINA » imprimée sous son aile.

Brett sourit avec soulagement.

—Bekka détestait Radar, expliqua-t-il en secouant la tête comme s'il ne voyait vraiment pas pourquoi. Elle détestait tout ce qu'il y a ici.

Il leva le bras pour tirer le cordon qui pendouillait à côté de l'ampoule rouge toute nue accrochée au plafond. L'odeur de son déodorant aux senteurs de pin se fraya un chemin jusqu'aux entrailles de Frankie.

—Comment tu le trouves? demanda-t-il, sous le halo méphistophélique.

Le fameux «voltage» de Frankie n'était pas à la hauteur de ce qui s'offrit à ses regards. Ne trouvant rien à dire, elle se laissa tomber sur le futon noir de Brett et balaya des yeux l'intérieur de la pièce dans un silence impressionné, laissant ses yeux écarquillés parler pour elle.

Des piles de cassettes VHS des grands classiques des films d'horreur collées les unes sur les autres formaient des colonnes arrivant à hauteur d'épaules sur lesquelles étaient exposés les bustes de ses monstres préférés : Frankenstein, Dracula, Godzilla, le yeti, un zombie, un loup-garou, le monstre du Loch Ness et le cavalier sans tête avec la tête de

Spencer Pratt, le petit ami de Heidi Montag dans *Laguna Bitch: the Hills*, découpée dans un magazine et fixée sur son cou avec du Scotch. Les murs étaient tapissés du sol au plafond d'affiches d'époque des films de Frankenstein. Disposés par ordre chronologique et recouverts d'une laque protectrice brillante, les portraits de Bon-Papa Frankenstein donnaient à ce capharnaüm des airs d'album de famille. Qui plus est, ils disaient à Frankie que Brett l'avait non seulement acceptée telle qu'elle était, mais qu'il n'attendait qu'elle.

— On dirait un musée miniature, finit-elle par murmurer.

— Je les collectionne depuis que j'ai sept ans, dit-il en s'asseyant près d'elle. C'est drôle quand on y pense, je connais ta famille depuis plus longtemps que toi.

Frankie fit pivoter son buste pour lui faire face. Brett l'imita. Posant son coude sur le dossier du canapé, il lui effleura le menton du bout des doigts. Les ongles vernis de noir, une bague tête-de-mort en argent, une montre au cadran vert serti dans un bracelet de force en cuir épais : on aurait dit qu'il était fait pour elle.

— Tu sais ce qui serait génial ici ? (Brett secoua la tête.) La robe de mariée de Bonne-Maman Frankenstein.

— Tu parles de celle que tu portais le soir du bal ? Elle était…

Frankie hocha la tête.

— Ouaip. La *véritable* robe de la fiancée de Frankenstein, acquiesça-t-elle, transportée à l'idée de l'effet que ça allait lui faire.

Elle retint son sourire, impatiente de voir sa tête. Elle plongea son regard dans ses yeux bleu denim, le temps que l'information chemine jusqu'à son cerveau. Elle scruta sa bouche rouge comme le sang, s'attendant à voir s'affaisser sa mâchoire. Mais ce fut à peine si Brett bougea un cil. Il se contenta de la regarder derrière la ligne irrégulière de ses mèches un peu raplapla en fin de journée comme on contemple un coucher de soleil, une expression béate hésitant entre l'admiration et la gratitude sur le visage.

Brett se pencha vers elle. Frankie leva la tête à sa rencontre. Si seulement elle avait pu porter la belle robe de mariée en dentelle au lieu de sa banale tunique noir et blanc à manches longues en crêpe de coton… ou peut-être cette minirobe en mousseline de soie rose pétard repérée sur Monshowroom. com. Ou encore une blouse paysanne avec un microshort, ou un tee-shirt jaune dénudant une épaule sur un jean 7/8… Mais tout cela devrait attendre que les RAD aient mené leur révolution. Brett semblait s'en moquer pas mal de toute façon. Il approchait ses lèvres des siennes avec une seule idée en tête…

Frankie tâta furtivement les sutures de son cou tandis que les moindres watts que contenait son corps exerçaient une pression qui la poussait vers lui en grésillant. Comme si elle avait besoin de ça ! Elle ferma les yeux, entrouvrit la bouche et posa doucement ses mains sur les avant-bras de Brett.

—Salut, les interrompit Thomas Cramé en faisant irruption par la porte coulissante.

Frankie et Brett rompirent le contact, les vagues de leur désir interrompu ondulant entre eux sans savoir où aller.

—Désolé pour le retard, s'excusa Thomas, traînant deux grands projecteurs sur pied de presque deux mètres de long.

Ils auraient pu attendre encore un peu.

—Pas de problème, dit Brett en se levant pour aider son meilleur ami/technicien de plateau. Notre premier invité n'est pas encore arrivé, alors il n'y a pas le feu…

—Cool! (Le rouquin maigrichon s'épongea le front avec la manche de son sweat à capuche grenat en soupirant.) On met ça où?

Les garçons s'activèrent pendant le quart d'heure qui suivit afin de transformer le bungalow en plateau de tournage. Ils voilèrent les fenêtres maculées de faux sang de feutre noir, décollèrent le futon du mur pour donner de la profondeur, rangèrent Radar la chauve-souris dans sa position de départ et reculèrent les huit piliers de cassettes vidéo pour former l'arrière-plan.

Une fois qu'ils eurent tout installé, Thomas alluma les projecteurs, et leur décor s'anima.

—Ça va être démentiel, mec, dit-il, admirant son travail.

—Tu sais que tout ça doit rester top secret, n'est-ce pas? lui demanda Frankie, bien que Brett l'ait assurée à plusieurs reprises qu'ils pouvaient faire confiance à son pote normie. Personne ne doit savoir où on filme ni qui sera interviewé. Sous aucun prétexte.

—C'est bien pour ça que je suis en retard, répondit Thomas. La moitié du cours de théâtre m'a filé le train. Ils m'ont poursuivi dans la rue comme une meute de vampires dans un film de série B.

—J'aurais voulu voir ça, mec, gloussa Brett. Comment t'as fait pour les semer?

—J'ai sauté dans le premier bus qui passait.

Brett éclata de rire.

—Il allait où?

—De l'autre côté de la rivière. J'ai dû prendre un taxi pour revenir, ou j'aurais été vraiment en retard.

—Un grand classique, mec. (Brett tapa dans la main de son pote avant de se tourner vers Frankie.) Tu vois qu'on peut compter sur lui.

Frankie était sur le point de lui présenter ses excuses lorsqu'on frappa à la porte.

—Qui est là? demanda Brett.

—Jackson.

Thomas ouvrit la porte coulissante et fit entrer leur premier invité. Sa vue plomba Frankie d'un sentiment de culpabilité. Quelque part derrière les lunettes cerclées de noir aux verres épais et la tignasse ébouriffée de Jackson, Holt attendait son heure. Et il escomptait retrouver Frankie et pas Frankie et Brett.

Mais que pouvait-elle faire de toute façon? Partager son petit ami avec Mélodie? militer pour le réchauffement de la planète? renier ses propres sentiments pour épargner les siens ? Heureusement, Jackson n'avait pas eu de coup de chaud depuis presque une semaine, et la question ne s'était pas encore posée concrètement. Mais l'été finirait par arriver et elle devrait lui avouer la vérité tôt ou tard.

— Le décor est d'enfer, dit Jackson en s'installant sur le futon.

— Où est Mélodie ? demanda Frankie.

— Ses parents l'ont obligée à rester à la maison pour une soirée jeux de société en famille. Elle dormait la dernière fois, ou un truc du genre, répondit Jackson en tirant son portable pour lui envoyer un texto. Elle dit qu'elle essaiera de passer tout à l'heure. Alors, on fait comment ? voulut-il savoir en plissant les yeux dans la lumière éblouissante des projecteurs.

— Frankie pose les questions hors champ derrière la caméra, je filme et Thomas s'occupe de la prise de son, expliqua Brett, soudain très professionnel. C'est Frankie que tu dois regarder et pas la caméra. Ne t'inquiète pas : ton nom ne sera pas mentionné et ton visage sera flouté.

— On y va ? lança Frankie en dépliant une liste de dix questions préparées à l'avance.

Jackson remonta les manches de sa veste beige et croisa les jambes. L'extrémité caoutchoutée de ses Converse noires était ornée d'un grand « M. » tracé au marqueur rouge.

— On y va, acquiesça-t-il.

— Qu'est-ce que tu as de spécial ? commença Frankie.

— J'ai ce qu'on pourrait appeler une « double personnalité » : deux personnes différentes cohabitent en moi.

—À quoi est-ce que c'est dû?

—Je suis le petit-fils du docteur Jekyll, qui est devenu accro à une potion qu'il avait fabriquée pour se donner le courage de réaliser ses désirs les plus sombres. La potion a altéré son ADN, dont le code génétique a été transmis à son fils, mon père. J'en ai encore des traces dans mon sang, et ce code s'exprime quand je transpire. Certaines composantes de ma sueur déclenchent une réaction chimique dans mon cerveau, qui active la personnalité de Holt, mon *alter ego*.

—Depuis combien de temps le sais-tu?

—Environ une semaine.

—Quand t'en es-tu aperçu pour la première fois?

—J'ai toujours eu des absences, mais je ne savais pas que je me transformais alors en un fêtard du nom de Holt Hyde. Jusqu'à ce que ma copine me montre une vidéo de ma transformation. Ça m'a fait un choc.

Jackson commençait à battre convulsivement du pied. Brett agrandit le plan pour montrer sa nervosité.

—C'est quoi le bon côté d'être un RAD?

—Faire partie d'une communauté où l'on se serre les coudes.

—Et le mauvais côté?

—D'avoir à se cacher.

—Considères-tu que toi ou ton *alter ego* représentiez une menace?

—Seulement l'un pour l'autre. Ma mère ne l'a pas encore mis au courant de mon existence parce qu'elle ne sait pas comment il prendra la nouvelle. Il pourrait faire une crise de jalousie et essayer de m'évincer ou un truc du genre. Je crois aussi que Holt ne travaille pas ses cours autant que moi, et ça pourrait avoir de graves conséquences sur ma moyenne générale. De mon côté, je suis plus renfermé et je pourrais mettre un frein à sa vie sociale. Ce genre de trucs, mais à part ça… non, on ne peut pas dire que nous soyons dangereux.

— Qu'est-ce que ça changerait dans ta vie si tu n'avais pas à cacher qui tu es ?

— Je pourrais faire du sport, puisque je n'aurais pas à me soucier de transpirer. Je pourrais aller à la plage. Ma mère pourrait chauffer la maison en hiver. Oh ! (Jackson fouilla dans la poche de sa veste et en sortit son ventilateur portatif.) Et je pourrais me passer de ce gadget.

Il activa l'interrupteur et les pales de plastique se mirent à tourner devant son visage.

Frankie sourit, pouces levés. C'était une bonne illustration de ce qu'il venait de raconter.

— Pourquoi as-tu accepté de participer à ce film ?

— Je veux que les normies… euh… les gens normaux voient que je suis un brave type, fatigué de se cacher et d'avoir honte de ce qu'il est.

— Merci, Jackson, ce sera tout.

— Je croyais que tu devais me poser dix questions, dit-il. Ça n'en fait que neuf.

Brett abaissa sa caméra.

— Pose-lui la dernière. C'est la meilleure partie.

— Je crois que ça suffit, répéta Frankie en repliant sa liste autant de fois que possible. Nous avons six autres personnes à interviewer ce soir. Il faut respecter le timing.

— C'était quoi, la question ? voulut savoir Jackson.

Frankie baissa les yeux.

— On se disait que tu pourrais… euh… nous laisser parler aussi à Holt, répondit Brett.

La cheville de Jackson s'immobilisa.

— Sérieux ?

Frankie avait envie de sauter par la fenêtre drapée de feutre noir et de prendre ses jambes à son cou. Ce ne serait déjà pas facile de rompre avec Holt. Fallait-il vraiment qu'elle le fasse ce soir ? et en public ?

— Vas-y, mec. Ta transformation sera le clou du spectacle, ajouta Thomas.

— Ça serait cool, c'est sûr, renchérit Brett. Les normies verraient que même sous ta pire forme ils n'ont rien à craindre de toi.

Frankie était au supplice. Cette idée la mettait mal à l'aise, mais Thomas avait raison. Ce serait bon pour l'émission. Et donc pour la cause des RAD.

Jackson se renversa contre le dossier du canapé pour réfléchir à la question.

Frankie, Brett et Thomas attendaient sans rien dire.

— À une condition, accepta finalement Jackson.

Frankie serra les poings. Elle savait ce qu'il allait dire.

—Tu dois annoncer à Holt que c'est fini entre vous.

—Que c'est fini entre eux? demanda Brett, estomaqué. Qu'est-ce que ça veut dire?

—Ne complique pas les choses, répondit Frankie en levant les yeux au ciel. Je n'avais plus toute ma tête. J'étais encore sous le choc.

—Dans ce cas, je suis d'accord avec Jackson, opina Brett. Tu dois lui dire que c'est fini entre vous.

—Pourquoi? gloussa Frankie.

Les joues de Brett s'empourprèrent. Elle avait sa réponse.

—D'accord, se rendit-elle. Rallume les projecteurs.

Dix minutes plus tard, le bungalow de Brett était devenu une véritable étuve. Frankie et les garçons surveillaient Jackson comme le lait sur le feu, mais il ne bouillait toujours pas.

—Essaie de sauter sur place en écartant les bras, suggéra Brett.

La caméra était posée sur un trépied, face à Jackson, prête à filmer. Brett était adossé au mur, les joues enflammées et les cheveux trempés de sueur. Jackson obtempéra. La cabane trembla. Brett lui fit signe d'arrêter.

—Et des pompes? proposa Frankie.

Jackson s'allongea sur le sol et s'exécuta docilement.

—Comment tu fais pour ne pas transpirer? demanda Thomas. (Il était appuyé contre la fenêtre voilée et s'éventait avec un dépliant des horaires d'autobus.) Moi, j'ai du mal à respirer.

Il s'éventa plus fort, ce qui fit voler la poussière du rebord de la fenêtre. Il battit des paupières, ses narines frémirent et... a... a... a... tchoum! Il éternua violemment... expulsant une gerbe de flammes, qu'il ravala comme des spaghettis avant d'avoir pu causer des dégâts.

Personne ne fit un geste. Des gouttes couleur chair coulèrent des doigts de Frankie comme de la cire fondue. Son fond de teint Absolue Perfection n'avait pas résisté.

Brett releva les yeux du viseur de la caméra pour regarder son ami.

— Qu'est-ce que..., murmura-t-il.

— J'en sais rien, répondit Thomas en haussant les épaules. Ç'a commencé autour de mes quinze ans. Le plus souvent quand je rote ou hum... tu vois... (Il indiqua ses fesses.) Jamais quand j'éternue. Et les flammes ne sont pas si grandes d'habitude.

— Pourquoi tu ne m'as rien dit? demanda Brett, légèrement vexé.

— Ben, c'est quand même gênant, mec.

Ils se turent et se dévisagèrent. Leurs lèvres s'incurvèrent comme ils comprenaient ce que ça signifiait.

— Tu es un RAD! s'écria Brett, radieux.

— Je suis un RAD! répéta Thomas sur le même ton, haussant ses sourcils roux sous le coup de la surprise.

— Regardez, dit Frankie en pointant le doigt vers le futon.

Jackson, trempé de sueur et à moitié groggy, regardait droit devant lui tandis que la couleur de ses yeux passait du noisette au noir, du noir au noisette, du noisette au noir, avant de virer finalement au bleu. Ses mèches châtaines s'éclaircirent de deux tons jusqu'au blond vénitien et une barbe de trois jours se forma sur la ligne de sa mâchoire.

C'est nouveau, songea Frankie.

Holt était arrivé.

—Vous avez fait cramer des toasts, ou quoi ? dit-il en ramenant ses mèches hirsutes du côté droit au côté gauche. Il retira la veste de Jackson dont il fit une boule qu'il lança à l'autre bout de la pièce.

—Ma brune explosive ! (Il se leva.) Où étais-tu passée ?

Très étonnée de sa nouvelle transformation physique, Frankie lui répondit en bafouillant.

—Ben, c'est à toi qu'il faut demander ça.

Holt se gratta l'arrière de la tête.

—On dirait que t'es en manque, se moqua-t-il avec un petit sourire narquois. On s'est vus hier soir. Juste avant que j'aie un blanc…

—En fait, ça fait presque une semaine.

—C'est bon. Pas besoin de chercher des excuses. Je trouve ça très mignon. Tu m'as manqué aussi. (Il marqua une pause.) Minute, qu'est-ce que le petit ami de Bekka fait ici ? et cette caméra ?

—On tourne un documentaire sur les RAD, et tu en fais partie, alors on voudrait te poser quelques questions.

— Si tu me laisses t'en poser une après, je suis ton homme, accepta-t-il en remontant les manches de la chemise bleu marine de Jackson avant de se rasseoir sur le futon.

Contrairement à son *alter ego*, Holt s'installa les deux bras sur le dossier du canapé, telle une rock star tenant deux mannequins invisibles par le cou.

— D'accord, opina Frankie, les mains tremblantes. C'est parti. (Elle fouilla nerveusement dans ses notes, tachant le bord du papier de fond de teint.) Alors… euh… qu'est-ce que tu as de spécial ?

— Je suis drôle, je suis cool et j'ai de bonnes notes sans en ficher une rame.

— À quoi est-ce que c'est dû ?

— Une part de gènes, deux parts de charme.

— Les gènes ? Quels gènes ? insista-t-elle.

— Ceux de mon grand-père Hyde. Un sacré noceur. J'ai lu son journal intime et, vous pouvez me croire, ce mec était chaud bouillant.

Frankie songea un instant à parler de Jackson à Holt, ici et maintenant. Ça donnerait une super séquence ! Oprah l'aurait fait. Mais ce n'était pas à Frankie de s'en occuper. C'était à sa mère. À *leur* mère. Frankie devait se contenter de poser ses questions et espérer que Holt ne verrait pas l'interview de Jackson quand le film passerait à la télé.

— Pourquoi as-tu accepté de participer à ce film ?

— Parce que tu as accepté de me laisser te poser une question.

Frankie pouffa. C'était vrai qu'il avait du charme.

—D'accord, pose ta question.

Elle indiqua à Brett de couper la caméra, ce qu'il fit immédiatement. Elle rassembla son courage pour affronter l'inévitable, rappelant à sa conscience torturée que faire souffrir Holt ferait le bonheur de Jackson, de Mélodie, de Brett et le sien. Les bénéfices excédaient largement les coûts. De plus, Holt n'était pas souvent là, et…

—Je me demandais…, commença Holt en retirant les lunettes de Jackson.

Ses yeux bleus débordaient de sincérité. Soudain, toutes les bonnes raisons que Frankie s'était données pour lui briser le cœur s'effondrèrent comme un château de cartes. Elle ne pouvait pas s'y résoudre. Il ne méritait pas ça.

—Ma brune explosive?

—Oui, répondit Frankie en regardant le bout rond de ses bottes grises.

Ses boulons commençaient à la démanger.

—Je me demandais si tu serais d'accord pour qu'on voie d'autres gens?

—*Quoi?*

Frankie éclata de rire.

—Je sais bien que tu ne t'attendais pas à ça, s'excusa-t-il en lui prenant la main. Je suis désolé. C'est seulement que ma vie est très mouvementée en ce moment. Je ne sais jamais où je vais me retrouver la minute d'après. Ce n'est pas très loyal vis-à-vis de toi.

Brett et Thomas ricanèrent.

—Je comprends totalement, dit-elle en souriant.

Elle ouvrit la porte du bungalow pour faire un courant d'air et ramener Jackson. Juste avant sa transformation, elle leva un doigt vers Holt et le gratifia d'une décharge électrique sur la joue.

—Pourquoi tu fais ça?

—Pour que tu te souviennes de moi.

—Jamais je ne t'oublierai, ma brune explosive.

Il battit des paupières. L'espace vide qui aurait dû contenir son cœur se dilata dans la poitrine de Frankie. De petits smileys survoltés s'en échappèrent comme un feu d'artifice. Puis les yeux de Holt virèrent au noir. Puis au bleu. Et revinrent finalement à leur couleur noisette d'origine.

Il y avait décidément du changement dans l'air.

CHAPITRE 20

LE BOULET ET LE CANON

Mélodie poussa la porte des toilettes d'un coup d'épaule, heureuse des trois minutes qui lui étaient accordées pour soulager sa vessie avant d'enchaîner sur son cours d'expression écrite. Dernier cours de la semaine – ce qui ne signifiait pas grand-chose, car son week-end ne serait pas de tout repos. Pas de grasse matinée en perspective. Pas le temps de partir en chasse d'un cappuccino « à peu près correct » avec Candace, ni de louer une comédie romantique à regarder avec Jackson. Elle devait visionner les rushs des interviews de RAD qu'ils avaient filmées toute la semaine. Ross voulait un prémontage pour lundi afin d'avoir le temps de faire ses commentaires. Le film devait être diffusé le jeudi. Mélodie était en service commandé pour les NUDIstes.

Au lieu des odeurs habituelles typiques des toilettes pour filles du deuxième étage, Mélodie fut accueillie par des senteurs ambrées. L'ancienne Nélodie de Beverly Hills aurait détalé sans demander son reste vers le pipi-room du premier, mais la nouvelle Mélodie de Salem faisait de la résistance.

Cléo sortit de la cabine du milieu et se dirigea vers le lavabo en faisant claquer les semelles de bois de ses sandales compensées. Des boucles d'oreilles en or en forme de pyramide oscillaient au bout de ses lobes au même tempo que l'ourlet de sa minirobe noir et vert émeraude. Ce look de patineuse qui n'appartenait qu'à elle mettait tellement sa silhouette en valeur – et c'était vraiment un canon – que Mélodie ne put s'empêcher de faire la comparaison avec son tee-shirt sac blanc, son pantalon kaki informe coulissé à la taille et ses Bensimon bleu marine. Elle se sentit tout à coup désarmée, tel un serf en présence d'un membre de la famille royale.

— Salut, lança Mélodie dans le bourdonnement assourdissant du sèche-mains électrique. Sympa, ta robe.

Cléo appuya une nouvelle fois sur le bouton argenté pour relancer la soufflerie.

Elle en voulait clairement à Mélodie qu'elle tenait pour responsable du sabotage de sa séance photo avec *Teen Vogue*, de la brouille avec ses copines et tout simplement d'être une normie. Mais on n'attrapait pas les mouches – encore moins la reine des abeilles – avec du vinaigre, et Mélodie se fit violence pour rester tout sucre tout miel.

— J'ai tout de suite su que c'était toi dans les toilettes à cause de l'odeur d'ambre. C'est cool. J'ai lu quelque part que les filles qui ont un parfum attitré étaient plus ambitieuses que celles qui n'en ont pas.

Pour toute réponse, Cléo enfonça le bouton du séchoir pour la troisième fois.

Ne t'énerve pas… Ne t'énerve pas… Ne t'énerve pas…

— Aujourd'hui, à la cantine, tes amies disaient encore combien tu leur manquais, mentit Mélodie en faisant abstraction de sa vessie pleine à craquer. (La vérité, c'était que Clawdeen avait définitivement rayé Cléo de la liste de ses amies, après l'avoir vue dans les couloirs en compagnie de Bekka et Haylee.) Elles veulent que tu reviennes.

Cléo daigna enfin la regarder.

— Oh! c'est que vous déjeunez aussi ensemble maintenant? cingla-t-elle en fusillant Mélodie du regard.

Cléo se sentait manifestement menacée. C'était le moment ou jamais de lui distiller une bonne dose de miel apaisant. Mais la bouche de Mélodie ne sécrétait que du vinaigre.

— C'est quoi ton problème? cracha-t-elle presque. J'essaie d'être sympa et tu me traites comme si j'étais l'Empire romain.

Cléo fit les gros yeux en signe d'avertissement, mais Mélodie était lancée. La conviction d'être dans son bon droit – et la possibilité de placer une métaphore historique – lui donnait plus d'assurance que n'importe quelle tenue de patineuse.

— Je n'ai pas l'intention de te prendre ton trône, poursuivit-elle. Je veux juste…

— Chut ! l'interrompit Cléo en se tournant vers la première cabine, où une paire d'UGG couleur pêche se balançait au-dessus du lino.

— Écoute, chuchota Mélodie, bien décidée à ne pas s'arrêter en si bon chemin. Je n'ai jamais voulu semer la zizanie. Je ne fais que défendre mes convictions.

— Pareil pour moi, clama Cléo en faisant swinguer ses créoles triangles d'un air de défi.

— Ah oui ? En choisissant une campagne de mode ? C'est tout ce qui t'importe ? Que fais-tu de l'égalité des droits et…

Cléo tapa du pied.

— Mais qu'est-ce que tu racontes ? Tu délires ou quoi ? Tu es possédée par les zombies, toi aussi ?

— Hein ?

Mélodie fouilla le regard turquoise de Cléo en quête d'un signe – un clin d'œil, une larme, quelque chose – à quoi se raccrocher pour ne pas sombrer dans la confusion, mais Cléo demeura de marbre. Son regard était dur et froid, comme celui de Bekka le jour où elle avait découvert la vidéo de Jackson.

— Bah, dit Mélodie avec un petit sourire suffisant. Je sais très bien ce que tu es en train de faire. Tu t'es acoquinée avec Bekka et…

« Bip-bip-bip. » Le dernier cours de la semaine était sur le point de commencer. Mais Mélodie n'en avait pas encore terminé. Cléo n'était peut-être qu'une pharaconne, mais elle lui devait la vérité.

—Bekka n'est pas une fille digne de confiance. Méfie-toi.

Quelqu'un tira la chasse… et Bekka sortit des toilettes.

Mélodie bondit dans la dernière cabine et s'enferma à double tour en claquant la porte. Pas assez vite cependant pour empêcher la gêne, la colère et la honte de la rattraper. Elle n'était qu'un boulet ! Les UGG pêche, cette histoire de zombies arrivée comme un cheveu sur la soupe, Cléo qui lui faisait les gros yeux… Elle avait essayé de la prévenir, mais Mélodie s'était gargarisée du son de sa propre voix et n'avait rien capté.

—Merci quand même du conseil, Mélonase ! lui balança Cléo pendant que le robinet coulait.

Bekka éclata de rire et les deux filles s'en allèrent, laissant Mélodie toucher le fond.

CHAPITRE 21

DÉMISSION ACCOMPLIE

Les bâtiments de Merston High étaient faiblement éclairés et quasi déserts. Les élèves qui avaient une vie sociale normale renonçaient aux joies du lycée le dimanche. Mais c'étaient les autres qui inquiétaient Cléo : les geeks qui traînaient dans la salle informatique jusqu'à ce que le concierge les renvoie chez eux. Ceux-là devineraient à tous les coups qu'une visite de Cléo dans leur temple de la technologie n'était pas sans arrière-pensée. Non seulement sa beauté exotique ferait tache au milieu de leur banalité tel un arum dans un carré de choux, mais ce serait surtout la première fois qu'elle mettait les pieds dans leur antre souterrain – notamment aux heures où le soleil, à son zénith, était idéal pour se faire bronzer. Soit ils soupçonneraient ses mauvaises intentions, soit ils penseraient qu'elle n'avait pas les moyens de s'offrir son propre ordinateur. Aucune de ces deux théories n'était bonne pour sa réputation.

C'est ainsi que Cléo faisait le pied de grue un dimanche après-midi dans les toilettes du sous-sol au lieu de profiter de ses trois B préférés (Bronzette, Bichonnage et Boutiques). Elle attendait le signal de Bekka, qui devait lui envoyer un texto dès que les geeks auraient vidé les lieux. Elle avait l'intention de pirater l'ordinateur de Brett pour effacer les rushs de *RADicalement vôtre*, Cléo ayant appris grâce à l'accès qu'elle avait conservé aux pages Facebook de ses amies que Ross attendait une première version du film pour lundi soir. Elle soupira, relâchant l'angoisse existentielle des deux dernières semaines dans l'atmosphère chlorée. La fin de son calvaire était proche.

Elle consulta son iPhone. Aucun message.

Par Ptah !

Cléo avait déjà du mal à accepter que Deuce ne soit pas revenu lui manger dans la main. Il lui avait envoyé un texto le soir de leur dispute pour lui demander de reconsidérer sa décision.

«Le film ou moi», avait-elle renvoyé.

«Les deux», avait-il répondu.

«Mauvaise réponse», avait conclu Cléo avant de passer plusieurs heures à pleurer, le visage enfoui dans la fourrure de ses chats.

Il lui avait fallu faire appel à toute sa force de caractère pour jouer les filles inaccessibles et ne pas l'implorer de changer d'avis, d'autant que les réserves de réconfort de sa bosse en forme de cœur étaient au plus bas et qu'elle avait vraiment besoin de faire le plein. Mais elle devait lui donner une leçon pour qu'il comprenne que sa petite amie passait avant tout le reste.

Mais ses amies ? Elle avait cru qu'elles seraient déjà revenues en courant. C'était la raison pour laquelle elle n'avait pas prévenu *Teen Vogue* de la défection de deux mannequins et d'une assistante styliste. Il ne restait que quatre jours avant la séance photo, et il faudrait bien qu'elle leur avoue la vérité. Son avenir professionnel était en jeu, sans parler de la confiance de son père. Si elle leur disait ce qu'il en était maintenant, l'équipe éditoriale du magazine aurait le temps de trouver des remplaçantes. Mais au dernier moment ? Ils n'essaieraient sans doute même pas.

Cléo consulta encore une fois son téléphone. Toujours aucun message. Ses amies continuaient à s'éclater sans elle. Elle n'aurait jamais cru cela possible.

Malgré tout, Cléo n'avait pas encore abandonné tout espoir.

« Ping ! »

Sans les mises à jour de Bekka sur l'avancement de la cause du comité CHASSE, le portable de Cléo aurait déjà péri de solitude.

À : CLÉO
Le 10/10 à 16 h 03
BEKKA : LA VOIE EST LIBRE !

Une main gantée de caoutchouc rose surgit par la porte et tira Cléo à l'intérieur de la pièce remplie d'ordinateurs.

— Dépêche-toi, la pressa Haylee en refermant la porte derrière elles avant de s'assurer que les stores étaient bien tirés.

Sa tenue de guetteuse – un cardigan *oversize* couleur pêche sur des leggings à rayures mauves et grises – n'aurait pas été plus voyante avec des lumières clignotantes et du *death metal* à plein tube.

— Salut, lança Bekka depuis la troisième rangée d'ordinateurs. (Elle était déjà occupée sur une machine, mais elle s'interrompit pour agiter une main gantée de caoutchouc bleu.) C'est plus facile que ce que je pensais. J'aurai fini dans une minute.

Cléo fit la grimace en s'éventant, car l'air sentait le renfermé. Un peu comme si elle voyageait en classe éco à côté d'un quidam qui s'empiffrait de chips au fromage. La poubelle près de la porte débordait de canettes de soda vides et d'emballages de fast-food roulés en boule qui semblaient vouloir échapper au bourdonnement abrutissant des machines et à l'éclairage peu flatteur des néons.

— Tiens, dit Haylee en fouillant dans son attaché-case pour en sortir une paire de moufles en laine rouge. Enfile ça avant de toucher quoi que ce soit. (Cléo prit les moufles grossières du bout des doigts, comme si elles étaient tombées dans le caca.) Et voilà un brassard du comité CHASSE, ajouta-t-elle en faisant glisser un anneau de silicone tout déformé de son poignet. J'ai fondu mes vieux bracelets Livestrong contre le cancer, et voilà !

—Tu plaisantes ? (Haylee fit descendre sur son nez ses lunettes papillon à monture d'écaille et lança à Cléo un regard qui disait : « J'en ai l'air ? ») Ce truc est collant comme un vieux chewing-gum.

—Justement, répondit Haylee avec un petit sourire sarcastique. C'est pour que ça *colle* entre nous et pour maintenir la *cohésion*.

Par Geb ! est-ce que tous les normies étaient aussi tordus ? Cléo avait une furieuse envie de dire à Haylee où elle pouvait se *coller* ses moufles en laine qui pique et ses bracelets cramés, mais ce n'était pas le moment d'entamer une lutte de pouvoir. Pourquoi foutre en l'air un dimanche déjà bien amoché ? En outre, le comité CHASSE n'était pour elle qu'un moyen d'atteindre son but. Et ce but était proche.

—Qu'est-ce que je peux faire pour vous aider ? demanda Cléo en s'efforçant de ne pas respirer.

—À TERRE ! lui intima Haylee à mi-voix.

—Quoi ? demanda Cléo en tournant la tête.

—Planque-toi et fais taire les carillons que tu portes aux oreilles !

Haylee bondit sur Cléo et la plaqua au sol. Elle l'entraîna ensuite à quatre pattes sur la moquette pleine de miettes jusqu'au bout de la troisième rangée. Les genoux en feu, Cléo regrettait d'avoir mis une minijupe, presque autant que de s'être engagée dans une opération commando aussi mal foutue. Connaissant Haylee, ce n'était probablement qu'un exercice.

Elles rampèrent sous la longue table rectangulaire, où elles rejoignirent Bekka.

— Qui c'était ? chuchota Cléo en tirant sur sa mini en mousseline de soie noir et rose pour ne pas exhiber ses dessous Princesse tam.tam.

— Brett ! articula silencieusement Haylee. Et…

La porte s'ouvrit en grinçant et elles distinguèrent une paire de rangers éraflées et deux bottes compensées qui montaient jusqu'aux genoux.

Frankie !

Les chaussures progressèrent à pas rapides et le couple s'assit devant un ordinateur dans la première rangée.

— *Qu'est-ce qu'ils font là ?* demanda silencieusement Cléo en levant les sourcils.

Bekka lui répondit par un haussement d'épaules.

— *À toi de nous le dire. C'est ton boulot, non ?* disaient ses yeux exorbités.

— *On est foutues*, leur signifia Haylee en passant un doigt en travers de sa gorge.

Cléo leva les yeux vers le ciel et Hathor, en signe de vénération. Sur le point de lui demander conseil et protection, son regard s'arrêta sur une constellation de crottes de nez séchées et de Skittles écrasés sous la table et elle décida de laisser la déesse en dehors de ce coup-là.

— Prêt ? demanda Frankie.

Quelqu'un frappa les touches d'un clavier puis s'interrompit au bout de quelques secondes en soupirant.

— Prêt, répondit Brett.

— Bonne chance.

— Je n'y serais jamais arrivé sans toi. Je veux dire… je n'aurais pas eu le courage de le faire, poursuivit-il.

S'ensuivit le bruit de succion d'un baiser.

Bekka leva au ciel ses yeux verts embués de larmes. Elle baissa la tête pour se cacher, reniflant en silence derrière les mèches de son carré ondulé.

Cléo en aurait presque éprouvé de la sympathie pour elle. Elle avait eu des sueurs d'ambre glacées tout le week-end quand Mélodie avait embrassé Deuce pour se venger – mais Mélodie l'avait agressé. Cléo avait du mal à se mettre à la place de Bekka et à imaginer ce qu'elle devait ressentir, alors que Brett l'avait quittée pour Frankie. Et elle n'essaierait même pas. C'était hors de question ! Bekka était l'ennemi. Elle était dangereuse, malgré ses airs pathétiques à l'instant présent.

« Tuut… »

Quelqu'un composait à présent un numéro sur un téléphone à haut-parleur.

« Tuut… tuut. Tuut… tuut… tuut… tuut. »

— Ross Healy, répondit une voix d'homme à la première sonnerie.

— Salut, ça va ? C'est Brett.

— Et Frankie.

Elle gloussa.

Bekka leva les yeux au ciel.

—On vient d'envoyer le film, annonça Brett.

Cléo hoqueta de surprise avant de mettre une main sur sa bouche. *Il vient d'envoyer le film ? Aujourd'hui ? Mais c'était prévu pour demain !*

Bekka la fusilla du regard. *Comment tu t'es débrouillée pour faire foirer ça ?* Cléo épousseta un brin de moquette accroché sur sa sandale, comme si elle n'avait rien vu.

—Salut, B-man. C'est cool de l'envoyer un jour plus tôt. La chaîne est impatiente de voir à quoi ça ressemble.

—Dis-leur que c'est un prémontage, lui rappela Brett. Rien n'est définitif. Il suffit de me dire ce que vous voulez changer.

—Entendu. Encore merci, B-boy mon pote. Je te rappelle.

Il raccrocha.

—J'espère que ça va leur plaire, dit Brett, qui avait l'air nerveux.

—Y a pas de raison, le rassura Frankie. Tu verras.

Si seulement quelqu'un était là pour rassurer aussi Cléo. Quelqu'un qui lui dirait qu'elle ne venait pas de bousiller la chance de sa vie. Qu'elle trouverait bien un moyen de faire revenir ses amies. Que ce film n'allait pas bouleverser son existence, même si c'était déjà fait. Cléo aimait sa vie. Elle avait toujours gain de cause. Les gens l'écoutaient. Et personne…

La sonnerie d'un portable rompit le silence.

—Allô, décrocha Brett en mettant le haut-parleur. Y a un souci ?

—Aucun souci, *Brett*, dit la voix de Ross. Si tu me dis que c'est une blague et que tu m'envoies le bon film dans une seconde et demie.

Bekka releva la tête.

Geb existe vraiment!

—Qu'est-ce que tu veux dire? demanda Brett.

—Ce que je veux dire? C'est quoi tous ces visages floutés? hurla Ross. Nos téléspectateurs auront l'impression d'avoir la cataracte. On ne peut pas diffuser ça. Envoie-moi les images en clair.

Bekka et Haylee échangèrent un sourire rayonnant en se tapant silencieusement dans la main. Exactement ce qu'elles voulaient – des preuves! Et exactement ce que redoutaient les RAD.

Encore un coup foireux de Frankie Stein. Elle et ses éclairs de génie!

Et maintenant? s'alarma Cléo. Des images en clair signeraient la fin des RAD. Leur identité serait révélée à la face du monde. La vidéo téléchargée sur toute la planète. Ils seraient à la merci des normies. Ils deviendraient des rats de laboratoire. Des boucs émissaires. Ils auraient beau paraître inoffensifs et sympathiques dans leur interview, les normies trouveraient toujours une bonne raison de les craindre. De faire preuve de discrimination à leur égard. De les haïr. Comme ils l'avaient toujours fait.

Cléo voulait continuer à se plonger dans ses bains de lavande. À se blottir contre ses chats et à rire avec ses amies.

Elle voulait pouvoir consacrer ses dimanches aux trois B, à échanger des textos avec ses copines et à voir Deuce. Mais cette vie était derrière elle, désormais.

—Alors? Tu l'envoies? relança Ross.

—Euh…, grommela Brett.

Empêche-le de faire ça, Frankie!

—Brett?

Frankie! fais quelque chose! Ne le laisse pas faire ça!

—On est réglo?

—Nous oui, intervint Frankie. Mais pas vous!

Cléo se mordit la lèvre inférieure.

Pas mal pour une fille qui perdait la tête à la moindre occasion.

—B-man? insista Ross sans s'occuper de Frankie.

—Désolé. Je ne peux pas.

—Tu déconnes, mec! C'est une chance énorme, persista Ross.

—Je sais. (Brett soupira.) Mais j'ai donné ma parole.

—Tu as donné ta parole à qui?

—À mes amis, répliqua Brett.

Ross ricana.

—Parce que ces monstres sont tes *amis*?

—Oui, et j'ai promis de les protéger.

—C'est qu'il a une conscience, *lui*, ajouta Frankie.

—Tu crois vraiment que tu vas réussir à percer dans ce métier grâce à ta conscience?

—Non, répliqua Brett. Je percerai grâce à mon talent.

—Allons, gamin, le succès n'a rien à voir avec le talent.

—Ouais, R-man. (Brett ricana à son tour.) J'ai compris ça le jour où je t'ai rencontré.

Ross avait raccroché.

Frankie et Brett demeurèrent silencieux. C'était fini.

Royal!

Cléo fit semblant d'imiter les mines déconfites de Bekka et de Haylee, mais renonça rapidement de crainte d'avoir l'air constipé. En vérité, elle avait envie de bondir de sous la table en poussant de grands cris et de laisser éclater sa joie à coups de baisers parfumés à la mûre sur tous les ordinateurs de la salle. Geb l'avait sauvée une fois encore. *RADicalement vôtre* était de l'histoire ancienne! Plus besoin de trahir! Plus d'association de malfaiteurs! L'heure du crime était passée! Elle arracha ses moufles rouges, qu'elle abandonna sur la moquette. Elle était libre!

—Je suis vraiment désolée, dit Frankie. Tu avais travaillé si dur.

—C'est pas grave, répondit Brett avec douceur.

—Si, c'est grave, renifla Frankie. J'ai encore tout court-circuité!

—Pas du tout! Tu avais promis de ne pas les mettre en danger et tu as tenu parole.

Une courte pause; un autre reniflement de Frankie.

—Ils vont être tellement déçus. Qu'est-ce que je vais leur dire?

—La vérité. Et on leur dira ensemble.

Wouah! Une onde de chaleur liquide comme le chocolat dans le fondant de Hasina envahit Cléo. Brett était vraiment un mec bien pour un normie.

La porte de la salle informatique se referma derrière eux avec un « clic » de vaincus.

Cléo se releva en lissant sa jupe. Ses mains lui parurent livides. Soit c'étaient les néons, soit le stress lui avait fait sérieusement perdre ses couleurs.

— Vous croyez qu'il y a encore du soleil ?

Bekka haussa les épaules, essuya ses joues baignées de larmes et se mit debout à son tour.

— On fait quoi, maintenant ? demanda Haylee à la cheftaine des CHASSEresses en s'extirpant de sous la table.

— On repart à zéro.

— Je n'aurais pas dit mieux. (Cléo remit en place sur son épaule la bretelle de sa besace en denim cloqué.) Rendez-vous de l'autre côté.

Sur ces mots, elle s'élança sur la moquette crasseuse et quitta la salle. Chaque pas résonnant dans le couloir désert la rapprochait du recommencement – et de la confirmation qu'il y avait bien une vie après la mort.

À: TOUS LES RAD

Le 10/10 à 17h13

FRANKIE: URGENT: RDV DANS MON JARDIN DEMAIN APRÈS LES COURS À 15H30 POUR CEUX QUI ONT PARTICIPÉ AU FILM. PAS BESOIN DE COUVERTURES. CE SERA TRÈS COURT. XXXXX

CHAPITRE 22

LE RETOUR DE LA MOMIE

Cléo arriva la première. Comme la dernière fois, elle se guida au bruit de l'eau à travers les épais fourrés pour accéder au jardin secret des Stein. La cascade écumante se déversait toujours sur les rochers. La pelouse alentour était aussi bien entretenue et aussi embrumée que d'habitude. Et le même brouillard mousseux dansait au-dessus des rebords de pierre du bassin. Mais la comparaison s'arrêtait là, car cette fois Cléo venait d'appliquer un spray autobronzant et elle était très excitée à l'idée d'être là.

La brise de fin d'après-midi souleva les mèches de sa frange. Il faisait beaucoup trop froid pour la minirobe couleur bronze et les low boots de satin noir ornées d'un nœud sur le talon qu'elle avait mises, mais Cléo était d'humeur trop joyeuse pour porter autre chose.

—Salut! gazouilla-t-elle.

Frankie était assise toute seule sur le bord du bassin, et ses doigts jouaient avec les sutures de ses poignets comme un chat avec une pelote.

— Salut, marmonna-t-elle sans relever la tête.

Même son sweat-shirt en tissu éponge gris avait l'air misérable.

— C'est le jour de la lessive?

Frankie leva ses yeux habituellement pervenche, que son fond de teint couleur brique tirait platement vers le bleu.

— Qu'est-ce qui se passe? Tu as des valises sous les yeux plus géantes que les sacs de Mary-Kate Olsen! lança Cléo.

— Laisse tomber.

Cléo envisagea de lui recommander l'emploi de rondelles de concombre, une bonne tasse fumante d'élixir repulpant à base des eaux du Nil de Hasina et une réplique plus inspirée. Après tout, Frankie s'était montrée à la hauteur en rivant son clapet à Ross et méritait quelques attentions. Mais tout ça attendrait que Cléo soit absolument certaine que *RADicalement vôtre* s'était RADicalement vautré.

— Qu'est-ce que tu viens faire ici de toute façon? demanda Frankie, plus surprise qu'ennuyée.

— J'ai reçu ton message à propos du film. (Cléo s'assit à côté d'elle.) Et, si ce n'est pas trop tard, j'aimerais y participer.

— Ah! s'exclama Frankie sans ouvrir la bouche.

Elle n'avait rien d'autre à dire à Cléo, du moins pas avant l'arrivée des autres, et elles patientèrent donc en silence.

Le jardin de Frankie s'emplit bientôt de RAD et du bruissement de leurs bavardages. Ils se saluaient chaleureusement, se serraient dans les bras les uns des autres ou se tapaient dans la main. Ils n'avaient plus rien d'une communauté passive liée par les seuls secrets qu'ils partageaient, mais se voyaient désormais comme une force, une faction proactive engagée dans un combat acharné pour changer le monde. La fierté qui émanait d'eux était palpable. Tout autour de Cléo, les conversations fusaient et pétillaient comme des bulles de champagne, emplissant le jardin d'un enthousiasme communicatif.

—HBO va vouloir se mettre sur le coup. Ils adorent les séries dramatiques.

—Tu crois? Pour moi, ça tient plus de la comédie.

—Ça ferait une bonne comédie musicale pour Broadway.

—Oh! et je suis sûre que quelqu'un va en tirer une série de bouquins pour ados.

—Tu crois qu'Oprah les inclura dans la sélection de son club littéraire?

—Évidemment, elle a toujours eu un faible pour les parias. Cette fille a du sang-froid.

—C'est marrant, je croyais que c'était toi qui avais le sang froid.

—C'est marrant, je croyais que t'étais drôle.

—Vous avez vu les croquis de Jackson? Il a dessiné des poupées à notre effigie.

—Tu t'imagines dans un Happy Meal?

— Miam! Plutôt deux fois qu'une. D'ailleurs, c'est un effet de mon imagination ou quelqu'un est en train de faire griller un filet de bœuf?

Même si ses meilleures amies l'ignoraient ostensiblement, Cléo se sentait étonnamment bien. Royale, même. Telle une reine stoïque connaissant le destin imminent de ses sujets, elle acceptait son isolement comme un effet secondaire de ce savoir, genre la fameuse solitude du sommet. Mais ça ne durerait pas. Frankie était en train de rassembler ses troupes et les bulles euphoriques allaient éclater d'un moment à l'autre. Et elle n'aurait plus qu'à ramasser les morceaux avec sa séance photo de *Teen Vogue*.

— Merci à tous d'être venus, les accueillit Frankie.

Elle fut saluée par une salve d'applaudissements. Au milieu de cette exaltation, Lala, Lagoona et Clawdeen lançaient des regards en biais à Cléo, se demandant sans doute la raison de sa présence. Deuce lui adressa un clin d'œil, mais il préféra rester avec ses potes du film. Julia, plus zombiesque que jamais, observait Frankie intensément, une lueur d'espoir au fond des yeux. Claude et les autres frères Wolf poussaient des hurlements de triomphe. Mélodie et Jackson étaient au premier rang, un sourire étirant leurs lèvres au point que leurs commissures fusionnaient presque. Aucun d'eux ne savait ce qui les attendait.

Frankie monta sur le rebord de pierre du bassin comme la dernière fois, sans faire mine, cette fois-ci, de réduire la cascade au silence. Viktor et Viveka étaient debout derrière la foule, la tête basse. Ils étaient déjà au courant.

—Je ne vais pas vous garder longtemps, parce que nous avons presque tous une interro de biologie demain…

—Ouais, merci, Jackson, cria Claude d'un ton de reproche depuis le dernier rang.

—Qu'est-ce que j'ai à y voir? s'empourpra Jackson.

—Tu es le fils de Mme J.

—Et toi, tu es son élève. Et d'après elle tu le seras encore l'année prochaine si tu foires ce contrôle.

Tout le monde éclata de rire comme si Eddie Murphy avait lancé une vanne. L'ambiance évoquait davantage une soirée scène ouverte dans un *comedy club* qu'une fin de journée après les cours un lundi soir.

—Hé!

Frankie lâcha une gerbe d'étincelles. Brett se tenait à côté d'elle, l'air solennel.

—Taisez-vous une seconde et écoutez ce que j'ai à vous dire, OK? (La foule se tut.) Nous avons tous travaillé très dur sur *RADicalement vôtre* et…

Claude ricana.

—Mec! l'interpella brusquement Brett, c'est sérieux. Le film est mort. Channel Two ne le diffusera pas.

La grimace de Frankie exprimait la déconvenue générale. Les RAD explosèrent en un chœur de protestations.

—Quoi?

—Tu veux nous faire hurler?

— C'est une blague, mec! C'est ça?

— Évidemment que c'est une blague. Pourquoi ils ne le diffuseraient pas?

Cléo croisa ses jambes recouvertes d'autobronzant et ferma les yeux avec délice. C'était comme de se plonger dans son bain de lavande, où l'eau chaude aurait été remplacée par un sentiment de revanche assouvie et les huiles essentielles par le doux parfum d'un «vous auriez dû m'écouter».

— Les dirigeants de la chaîne n'acceptent de le diffuser que si les visages apparaissent en clair, expliqua Brett.

— Ils ne peuvent pas faire ça!

— Ce serait notre fin!

— C'est pourquoi nous avons refusé, les rassura Frankie.

Le jardin retomba dans le silence, brisé seulement par le bruit de la chute d'eau. L'espace d'une seconde, Cléo éprouva une vraie tristesse pour ses amis. Pas pour la gloire dont ils étaient privés, mais pour la liberté au nom de laquelle ils s'étaient battus et qui leur était refusée.

— Bravo, Frankie! cria quelqu'un.

C'était Billy, qui se mit à frapper dans ses mains.

Les autres le suivirent d'abord avec réticence, puis les applaudissements enflèrent jusqu'à ce que l'assemblée tout entière acclame Frankie et son amoureux NUDIste. Leur suffrage n'avait pas faibli, mais leur gaieté communicative s'était envolée. La lumière dans leurs yeux s'était éteinte. Le feu qui les animait venait d'être étouffé et il n'en restait plus qu'un mince ruban de fumée.

Cléo se leva avec grâce. Rejetant en arrière ses épaules satinées, elle s'avança sur la pelouse de son pas régalien. Fendant discrètement la foule des RAD, elle avait l'impression d'être une revenante venue récupérer son âme.

Ce fut Clawdeen qui la vit la première. Ses yeux mordorés se plantèrent dans ceux de Cléo. En cet instant, ses prunelles pareilles à des œils-de-tigre qui avaient autrefois inspiré les créations joaillières de Cléo étaient dures et glacées.

— Salut, balbutia néanmoins Cléo.

Clawdeen poussa du coude Lala et Lagoona. Trois paires d'yeux dévisageaient maintenant Cléo.

— Qu'est-ce que tu fais là ? demanda Lala.

Un trait de rouge à lèvres maculait son menton, mais Cléo n'osa rien dire.

— J'étais venue voir si je pouvais être utile pour le film, et puis…

— Et ta précieuse carrière de mannequin ? aboya Clawdeen.

— J'ai tout annulé. C'est vous qui aviez raison. La cause des RAD est plus importante.

Les filles échangèrent des sourires entendus. Cléo était sur le point de broder sur le thème d'Anna Wintour qui lui avait sonné les cloches pour sa défection, alors qu'elle fondait de grands espoirs sur la future carrière de styliste et de mannequin de sa protégée, quand un souffle d'air chaud sur son épaule vint la distraire. Il sentait le Kréma au citron.

— Billy, arrête de jouer les espions !

—Oh! pardon. Je ne pouvais pas deviner que vous vouliez rester dans l'intimité.

—Dégage de là ou je te bombe à l'autobronzant. Et tu sauras exactement ce que c'est que l'intimité. (Elle agita son petit doigt.) Et on connaîtra la tienne par la même occasion.

Les filles ne purent s'empêcher de pouffer.

—OK, j'me casse, grommela Billy.

Le parfum de citron s'éloigna.

—Alors, dit Lagoona en revenant à leurs affaires. Tu crois que tu peux reconfirmer la séance photo? Maintenant que le film est passé à la trappe…

—Je ne sais pas trop. Je n'y ai pas réfléchi. (Cléo poussa un soupir.) Je peux toujours essayer, j'imagine.

Clawdeen enroula une boucle auburn autour de son doigt. Ses ongles longs comme des griffes étaient peints de très fines rayures jaunes et marron.

—Tu crois qu'ils accepteraient aussi de nous reprendre? À moins que tu aies déjà promis la place à tes nouvelles copines?

Cléo haussa ses sourcils parfaitement dessinés en signe d'incompréhension.

—Bekka et Haylee, dit Lala.

—Vous rigolez? Je ne leur proposerai jamais un boulot de mannequin. Vous avez vu leur structure osseuse? Elles sont trop… ordinaires.

Les filles opinèrent du chef.

— On a encore une chance, alors ? demanda Clawdeen.

— On est prêtes à travailler nos poses et à faire les exercices d'orthoptie pour ne pas loucher.

— Possible, répondit Cléo avec désinvolture. Si vous êtes vraiment motivées.

Elles hochèrent vigoureusement la tête en poussant des cris suraigus et l'assurèrent qu'elles étaient motivées à deux cents pour cent.

— Clawdeen, ajouta Cléo en se penchant vers son amie pour toucher ses cheveux bouclés, je me disais que tu pourrais porter les boucles d'oreilles le jour de ton anniversaire si tu veux. Ça ferait une photo souvenir super glamour de la fête de tes seize ans !

— Sérieux ? s'écria Clawdeen. Ce serait vraiment au poil !

— Est-ce que ça veut dire que vous me pardonnez mon égoïsme ? leur demanda Cléo.

— Est-ce que tu nous pardonnes de t'avoir jugée ? riposta Lala.

— À condition que tu me pardonnes de te dire que tu as du rouge à lèvres sur le menton.

— Merci, les filles, reprocha Lala à Clawdeen et à Lagoona. Pourquoi vous ne me l'avez pas dit ?

— On a fait une fixette sur ton eye-liner de traviole et on n'a pas fait gaffe, plaisanta Lagoona.

Elles éclatèrent toutes de rire. Deuce leur coula un regard et leva les pouces à l'intention de Cléo : « *Voilà comment on récupère ses potes.* » Elle lui répondit par un clin d'œil tandis que ses amies retrouvées l'attiraient dans une accolade collective. Elle s'occuperait de Deuce plus tard.

— C'est le retour de la momie! s'exclama joyeusement Lala.

— Imhotep, planque tes fesses! sourit Cléo de toutes ses dents.

À: CLAWDEEN, LALA, LAGOONA

Le 11/10 à 21 h 28

CLÉO: SÉANCE PHOTO CALÉE. ILS VOUS REPRENNENT! JE SERAI SUR LE SPOT TOUTE LA JOURNÉE. LE MAG VOUS ENVOIE UNE LIMO MARDI APRÈS LE DERNIER COURS. ^^^^^^^

À: CLÉO

Le 11/10 à 21 h 29

CLAWDEEN: COOL! J'AVAIS OUBLIÉ D'ANNULER MON ÉPILATION! TROP CONTENTE!! MERCI. ####

À: CLÉO

Le 11/10 à 21 h 31

LALA: SANG-SASS!!!!!! ::::::::::::

À: CLÉO

Le 11 octobre à 21 h 33

LAGOONA: CHUIS SUR LE CUL! @@@@@@

CHAPITRE 23

LES RAD QUITTENT LE NAVIRE

« Bip-bip-bip. »

En ce jour, la cloche du lycée aurait dû signifier bien autre chose que la fin des cours. Elle aurait dû sonner l'appel aux armes. Lancer le compte à rebours du discours inaugural de l'avènement des RAD à la télévision. Les convier tous à un *after* dans le bungalow de Brett pour célébrer leur première sortie publique officielle depuis les années trente. Mais c'était une marche funèbre sonnant le glas de ses rêves que Frankie avait l'impression d'entendre.

Les normies ne sauraient jamais combien Claude Wolf travaillait dur pour obtenir une bourse sport-études. Ils ne verraient jamais l'impressionnante collection de trois cent quatre-vingt-une paires de lunettes de soleil de Deuce et ne connaîtraient pas les rêves que nourrissait Lagoona de devenir surfeuse professionnelle. Ils ne partageraient pas les larmes de Clawdeen racontant sa terreur de se faire taguer par les activistes de la PETA ou d'avoir à se doucher dans les vestiaires après les cours de gym. Ils ne s'identifieraient jamais avec le combat que menait Jackson contre la transpiration et ne compatiraient pas avec le sort de Holt dont la vie lui glissait entre les doigts. Lala refuserait toujours de sourire en public, confirmant sa réputation de fille timide et réservée, et le regard de zombie de Julia serait pris à jamais pour de la stupidité. Thomas serait obligé de rester chez lui à la saison des pollens et aucune fille n'accepterait de sortir avec ce pauvre Billy de crainte d'être accusée de parler toute seule. Frankie était condamnée à se cacher sous une couche épaisse de maquillage qui lui obstruait les pores et de vêtements couvrants qui la faisaient ressembler à une yourte. Quant à Brett et Mélodie, ils étaient lestés à jamais du lourd secret de leurs amis les RAD.

Même avec leurs visages floutés, ce film n'aurait pas été la solution à tous leurs maux, mais il aurait constitué un premier pas – qu'ils avaient accepté de faire ensemble. Le premier en quatre-vingts ans. Un pas qui ne les avait menés nulle part. Bien sûr, Frankie pouvait toujours recommencer et tenter autre chose. Mais elle était à court d'idées. Et qui lui ferait encore confiance? Tout ce qu'elle touchait se brisait dans ses mains.

Le silence inhabituel qui régnait ce jour-là dans les couloirs indiquait clairement qu'ils entendaient tous le même chant funèbre. Parmi les RAD, seules Clawdeen, Lagoona et Lala semblaient ne pas souffrir de leur cause perdue. Et c'était bien normal, puisqu'elles étaient sur le point d'embarquer dans une limousine noire et brillante aux vitres frappées du logo de *Teen Vogue*. Main dans la main, elles dévalaient les couloirs du lycée avec la discrétion d'une vieille guimbarde de jeunes mariés et son cortège de boîtes de conserve sur une route de campagne. En guise de marques de pneus, elles laissaient derrière elles un sillage écœurant de lotion corporelle fruitée, de parfum aux notes florales et de rires d'une bande de copines qui allaient de l'avant.

Soudain, Mélodie fit irruption près du casier de Frankie, hors d'haleine.

— Tu ne vas pas le croire !

Elle avait les joues rouges, ouvrait grands ses yeux gris et ses cheveux noirs étaient emmêlés. Sa beauté était indéniable sans qu'elle ait recours à une once de maquillage. Un pincement de jalousie interdit à Frankie de lui demander quel était le problème. Après tout, qu'est-ce qui pouvait aller de travers ? La vie de Mélodie était parfaite.

— Candace est malade aujourd'hui et elle est restée à la maison, poursuivit Mélodie.

— Pas de chance, répondit Frankie, consciente du manque de sincérité contenu dans sa voix. J'espère qu'elle sera bientôt guérie.

Elle ferma son casier et glissa la bretelle de son sac à dos clouté d'argent sur son épaule.

— Tu parles, c'est pour sécher les cours, précisa Mélodie. Mais elle regardait la télé, et elle a vu une bande-annonce de *RADicalement vôtre*. Channel Two va finalement le diffuser !

Frankie se dirigea vers la sortie, Mélodie courant derrière elle comme un jeune chien fou.

—Ce doit être une erreur, décréta Frankie, refusant les faux espoirs. Je suis sûre qu'ils nous auraient prévenus.

—Ce n'est pas une erreur. Candace a appelé la chaîne pour vérifier. Ils vont bien diffuser le film !

—T'en es sûre ?

Mélodie acquiesça.

VOLTAGE !

Frankie s'arrêta tout net au milieu du couloir, sans se soucier des coups de coude involontaires des lycéens qui déambulaient, et envoya un message à Brett pour lui apprendre la nouvelle.

Il les rejoignit quelques instants plus tard.

—Vous en êtes sûres ? s'étonna-t-il. (Mélodie lui raconta ce qu'avait dit Candace.) Pourquoi est-ce que Ross ne m'a pas appelé ? (Les filles haussèrent les épaules en signe d'ignorance.) Qu'est-ce qui a bien pu le faire changer d'avis sur les visages floutés ?

—Les remords, peut-être ? suggéra Mélodie.

—Je croyais qu'ils voulaient des images de tous les RAD en train de regarder le film en studio.

—Tu n'as qu'à l'appeler, le pressa Frankie.

Brett composa quatre fois le numéro de Ross, ses doigts aux ongles vernis de noir volant sur les touches avec une frénésie non dissimulée. Mais, chaque fois, il tomba sur la messagerie.

— Tant pis, dit-il, trop excité pour se laisser décourager. On va faire une soirée télé. Vous pouvez vous occuper de réunir tout le monde au bungalow pour 17 h 30 ? Je vais tout préparer et commander des pizzas.

Chacun partit de son côté, animé d'une nouvelle ardeur. Soulevant la masse imposante de sa longue jupe de paysanne, Frankie dévala à toute allure les marches du lycée pour aller répandre la bonne nouvelle auprès des RAD, tel un défibrillateur.

En un peu plus d'une heure, Brett avait transformé son musée des monstres en une salle de projection douillette. Il avait accroché au mur une télé à écran plat, disposé tous les sièges qu'il avait pu trouver en quatre rangées et apporté une table, qui débordait de cartons de pizzas, de canettes de sodas et de bols de bonbons. Il laissa les portes ouvertes pour éviter que Jackson prenne un coup de chaud. Il avait préparé un extincteur pour Thomas, inscrit « spéciale viandards » au marqueur sur trois des cartons de pizzas de chez Domino à l'intention des frères Wolf, et même prévu un radiateur pour Lala au cas où elle déciderait de faire un saut après sa séance photo. Les tulipes vertes dans un vase étaient destinées à Frankie.

La pièce s'emplit rapidement de lycéens qui échangeaient des commentaires sur les méandres du destin. Au moins cinq d'entre eux dirent à Frankie qu'elle avait bien de la chance de sortir avec Brett. Pas Brett le normie. Pas Brett le NUDIste. Pas Brett, l'ex de Bekka. Ces précisions n'avaient plus de raison d'être. Les lignes avaient bougé. Il n'était plus de l'autre camp. Il était Brett tout court. C'était bon signe. Si ces gens-là réussissaient à vivre en bonne entente, tout le monde le pouvait.

— Ça va commencer, annonça Brett en montant le son.

Les bruits de mastication et les conversations s'interrompirent. Chacun prit place sur une chaise en trépignant d'avance. Brett resta debout devant l'écran, incapable de contenir son impatience. Frankie songea au jour, seulement deux semaines plus tôt, où elle était restée scotchée devant la télé, le nez presque dessus, à le regarder dans son lit d'hôpital. La vie et ses aléas la firent sourire. Un jour elle perdait carrément la tête, le lendemain c'était son cœur qu'elle donnait. Frankie Stein vivait enfin pleinement !

Ils acclamèrent Ross lorsqu'il apparut à l'écran, debout devant le panneau d'affichage de Merston High. Ses traits juvéniles étaient une parfaite illustration du fait qu'il ne fallait pas se fier aux apparences. Avec son visage lisse, ses grands yeux bruns et son sourire tout en fossettes, on aurait dit qu'il s'apprêtait à lancer des billes plutôt qu'un reportage.

— C'est normal qu'il montre le lycée ? demanda Deuce.

Personne ne répondit. Ils retenaient leur souffle, attendant de voir la suite. Julia remonta ses lunettes sur son nez avec nervosité.

« C'est la semaine Pleins Feux sur l'Oregon sur Channel Two, et notre slogan "On vous dit tout sur Channel Two" n'a jamais été aussi… révélateur. (Il ricana.) Il y a deux semaines, une info de dernière minute m'a été communiquée m'informant que des monstres – oui, j'ai bien dit des *monstres* – vivaient parmi vous à Salem. (Il se déplaça de l'autre côté du tableau d'affichage, où les lettres de « Merston High » avaient été réarrangées pour former les mots « Monster High ».) Vos pires cauchemars sont devenus réalité… ou ils l'ont peut-être toujours été ? »

— Il a dit « cauchemars » ? grogna Claude en montrant les dents.

— Chut ! lui intimèrent les autres.

« Le film que vous allez voir est constitué des entretiens que j'ai pu recueillir auprès de ces fameux monstres. Certains vous feront rire. D'autres vous feront pleurer. Mais tous vous apprendront ce que vous devez savoir sur les monstres qui vivent près de chez vous. Voici *RADicalement vôtre.* »

Le titre, palpitant au rythme angoissant du thème musical de *Psychose*, d'Alfred Hitchcok, s'afficha en lettres sanglantes sur l'écran.

— Qu'est-ce qu'il a fait de mon habillage graphique ? s'exclama Jackson.

« Prrroutttt. »

— Désolé, s'excusa Thomas comme une langue de feu s'échappait de l'arrière de sa chaise. Cette pizza à la saucisse était très épicée.

La température monta soudain de plusieurs degrés dans le bungalow, mais personne n'y prêta attention…, car Bekka venait d'apparaître à l'écran. Vêtue d'une robe blanche en dentelle, les joues rosies par trop de blush, elle était assise sur ce qui ressemblait à un banc d'église. L'assemblée hoqueta de surprise.

— Qu'est-ce qu'elle fait là ? demanda Brett à la télévision.

Mélodie se pencha en avant.

— Qu'est-ce qui se passe ? chuchota-t-elle.

Frankie tira sur les sutures de son cou.

— J'en sais rien.

La caméra montra un plan serré du visage constellé de taches de rousseur de Bekka, qui se présenta.

« Bonjour. Je m'appelle Bekka Madden. C'est mon petit ami, Brett, qui a réalisé ce film, tourné sous la contrainte. Les créatures que vous allez voir se sont emparées de son esprit. Elles ont fait de lui un zombie à leur service et l'ont obligé à tourner ces images de propagande dans l'intention de gagner votre confiance. Si vous la leur accordez, elles prendront possession de votre âme et absorberont votre esprit. Mais ce n'est pas le moment de céder à la panique. Le temps de l'action est venu. Il faut arrêter ces monstres avant qu'ils nous possèdent tous. Et Brett, si tu regardes la télé, sache que je t'aime toujours. Tu peux revenir. Je te protégerai. »

Comment est-ce arrivé ? Pourquoi est-ce arrivé ? Qui a laissé faire ça ?

Le film démarra dans la foulée avec l'interview de Jackson *à visage découvert.*

Mélodie retint son souffle.

— Brett, qu'est-ce que c'est que ce truc ? s'écria Jackson.

— Je n'en ai pas la moindre idée !

— On s'est fait rouler ! mugit Claude en jetant une part de pizza spéciale viandards sur la télé.

La pizza adhéra à l'écran puis glissa lentement et atterrit sur le sol avec un bruit mat.

— Tout le monde va savoir où on habite !

— On ne pourra plus aller au lycée !

— Et ma bourse sport-études ?

— Où est-ce qu'on va se cacher maintenant ?

— Faudrait déjà qu'on puisse quitter la ville !

— Mes parents vont me tuer !

— Même si je suis déjà morte, les miens vont me tuer quand même !

— Je n'aurai jamais le rôle de Juliette !

— Je devais passer ma conduite demain !

— Il y a un geek qui vit dans mon corps ! hurla Holt, le visage ruisselant de sueur. Pourquoi est-ce que ma mère ne m'a rien dit ? Pourquoi *vous* ne m'avez rien dit ?

Bousculant les rangées de chaises sur son passage, Holt sortit du hangar en courant.

— Holt, attends ! lui cria Deuce.

Trop tard, il avait disparu.

— C'est ma faute, s'excusa Thomas, rouge comme une pivoine.

— Holt a raison. Il faut tous se tirer d'ici !

— Oh mon Dieu! Qu'est-ce qu'on va faire pour arrêter ça? gémit Mélodie dans le chaos grandissant.

— Je ne sais pas, répondit Frankie en tremblant.

Son portable se mit à sonner. Elle répondit en mains libres avec le haut-parleur pour ne pas risquer de court-circuiter l'appareil avec les étincelles jaillissant de ses boulons.

— Mords-moi, je rêve! aboya la voix de Clawdeen. Mais non, je ne rêve pas! (Frankie ouvrit la bouche pour lui répondre, mais aucun son n'en sortit.) Cléo était forcément au courant, poursuivit Clawdeen. Elle était comme cul et chemise avec Bekka ces deux dernières semaines. Elle est mêlée à tout ça.

— Pourquoi elle nous fait ça? s'écria Lala en arrière-plan.

— De quoi tu t'inquiètes? leur parvint la voix de Lagoona. Toi au moins, personne ne te verra.

Les entrailles de Frankie étaient en effervescence.

— Vous êtes sur le lieu du *shooting*? demanda-t-elle, en peine d'autres mots.

— On est dans la limo. On était en route pour y aller, et on a tout vu sur la télé de la voiture. Je ne veux plus voir Cléo ou un objectif de toute ma vie! On fait demi-tour et on rentre chez nous. Si le chauffeur ne nous trucide pas avant. Il n'arrête pas de nous mater dans son rétroviseur en se demandant pourquoi il ne voit pas le reflet de Lala. Il croit qu'on est en train d'absorber son cerveau. Je te jure, il roule à plus de 200 km à l'heure. Qu'est-ce qui nous a pris de faire confiance à Cléo? Tout ce que je lui souhaite, c'est

qu'un de ses dromadaires s'emballe et… RALENTISSEZ!
hurla-t-elle. On ne vous veut aucun mal, compris? Frankie,
méfie-toi de Brett et de Mélodie. Ils ont sûrement tout
organisé avec Bekka.

Mélodie s'étrangla de stupeur.

—C'est faux! cria-t-elle dans le téléphone.

—Ah ouais? Pourtant, tout allait bien jusqu'à ce que tu
pointes ton nez!

—Clawdeen, je ne…

—Ne l'écoute pas, Frankie. Tire-toi de là aussi vite que
tu peux. On sera bientôt rentrées chez nous. À moins que ce
maniaque nous ait tuées avant. J'ai dit: «RALENTISSEZ!»

La ligne fut coupée.

Frankie ne savait plus quoi faire. Clawdeen était-elle
dans le vrai? Sa théorie n'était pas sans fondement. Brett
et Bekka… les amants éternels. Un réalisateur en herbe en
quête d'une opportunité… et le voilà qui tombe sur le scoop
du siècle. Ils conçoivent un plan… Brett et Mélodie sont
envoyés en mission pour les espionner de l'intérieur… pour
gagner sa confiance et son cœur. Son bungalow n'était qu'un
décor monté de toutes pièces… Les portraits de Bon-Papa
Frankenstein que des accessoires de théâtre… Un coup monté
de toutes pièces dans un seul dessein… Faire le buzz… être
diffusé partout… Hollywood.

—Comment as-tu pu nous faire ça? hurla Frankie à
Mélodie.

—Sérieux, Frankie, je ne vois vraiment pas de quoi tu parles!

Sa réponse faiblarde ne valait pas un clou aux yeux de Frankie. Mélodie n'était qu'une jolie poupée qui avait été utilisée (comme eux tous) pour réaliser le rêve d'immortalité de Brett et de Bekka. Ironiquement, alors que de nombreux RAD jouissaient naturellement de l'immortalité, les normies Brett et Bekka n'avaient qu'un seul moyen d'y parvenir et c'était de vendre leur âme pour passer à la postérité.

— Tu n'es qu'un sale menteur ! explosa Frankie.

Ses mots furent perdus dans le flot des insultes, des menaces et des biscuits apéritifs que tous les RAD lui lançaient. Cela n'empêcha pas Frankie de continuer à déverser sa colère sur lui. Brett ne bougeait pas, debout devant la télé, se laissant fustiger sans réagir.

— Sauvez-vous ! leur cria Deuce. Les effets de la pétrification ne sont pas éternels.

Comme un seul homme, les RAD surgirent du bungalow et se dispersèrent dans les rues adjacentes dans un sauve-qui-peut général. Leur sens de la communauté avait fait long feu. Ils se battaient de nouveau pour sauver leur peau. Frankie ne savait plus si elle devait les suivre, jeter Brett par terre ou appeler ses parents pour leur dire de faire leurs valises.

Dans le doute, elle se mit à courir.

Elle courut à toutes jambes sans savoir où elle allait. Tandis qu'elle descendait Baker Street en crachant des étincelles et en pleurant toutes les larmes de son corps, Frankie ne put s'empêcher de penser que Cléo avait raison.

Il vaudrait sans doute mieux pour tout le monde que Viktor la mette hors service.

Et, s'il refusait de le faire, quelqu'un d'autre s'en chargerait.

CHAPITRE 24

LE CHANT DES SIRÈNES

— Holt? cria Mélodie en débouchant dans Piper Lane. Jack-sonnnn?

N'obtenant pas de réponse, elle poursuivit sa course et ses appels à pleins poumons. Les rues bordées d'arbres se succédaient et Mélodie continuait à courir en criant, se faufilant entre les voitures et les joueurs de foot de rue.

— Holt? Jackson? appela-t-elle sur Dewey Crescent.

— Holt? Jackson? appela-t-elle sur Willow Way.

— Holt? Jackson? appela-t-elle sur Narrow Pine Road.

Et toujours, personne ne répondait.

Une demi-heure après l'exode massif des RAD fuyant le bungalow de Brett, Mélodie courait et criait toujours. Pas une fois elle n'eut besoin de s'arrêter pour inspirer une bouffée de son inhalateur. Elle aurait pu continuer indéfiniment si elle n'avait pas fini par se rendre compte que c'était inutile. C'était son petit rayon de soleil dans cette soirée par ailleurs sombrement nuageuse.

Ça la rendait malade jusqu'à la nausée de songer au sale tour que leur avaient joué Brett et Bekka. Et à tout ce que ç'avait coûté aux RAD – sans parler d'elle et de sa place parmi eux. Tout ça pour quoi ? Pour satisfaire la fierté de Bekka ? faire avancer la carrière de Brett ? avoir des images à filmer ?

Mélodie ralentit sa course et finit par se mettre à marcher. Rien ne servait de courir, elle n'arrivait nulle part. Mais la grande question demeurait : et maintenant ? Que devait-elle faire ? Continuer à chercher Holt et Jackson ? Convaincre Frankie qu'elle n'avait rien à voir avec l'émission ? Cacher les RAD chez elle ? Demander à son père de les opérer pour en faire des normies ? Trouver Brett et Bekka, les rouler dans les épices à steak et les laisser devant chez les Wolf ? Oui, oui, oui, oui et *oui* !

Ou bien elle pouvait affronter la seule personne à qui aucun des autres ne voulait plus adresser la parole. Celle qui détenait sans doute les réponses. Et qui avait besoin de Mélodie autant que Mélodie avait besoin d'elle, même si elle ne le savait pas encore.

Elle s'assit sur le bord du trottoir pour appeler Candace. Le « J » que Jackson avait inscrit au marqueur rouge sur le bout en caoutchouc de ses Converse avait coulé et commençait à s'effacer. *C'est peut-être un signe ? A-t-il encore besoin de moi ? Est-ce que je fais le bon choix ? Et si…*

—At… choub ! (Reniflement.) Allô ? Bel ? répondit Candace. J'alluzine, tu as regardé la délé ? Z'est bas bossible ! Atchoub !

291

Mélodie leva les yeux au ciel.

— Je sais que c'est du chiqué, Candi. Tu peux parler avec ta voix normale.

— OK. Qu'est-ce que tu veux?

— Mission spéciale pour les NUDIstes. J'ai besoin d'un chauffeur.

Mélodie se mordit les lèvres, redoutant d'entendre le rire suraigu de Candace qui signifierait: «Je suppose que c'est une blague?»

— Où? Quand? Quelle tenue?

— Sérieux? s'étonna Mélodie, sidérée que sa sœur ait accepté si facilement. Euh… au coin de Forest et Cliff. Tout de suite. Tenue moulante. Oh! apporte aussi quelque chose pour moi. J'ai pas mal transpiré. Fais vite!

— Candace, terminé!

En attendant Candace, Mélodie composa le numéro de Jackson, mais elle tomba chaque fois directement sur sa boîte vocale. Même chose quand elle essaya d'appeler Frankie. Mélodie se leva, fit quelques étirements en prenant appui contre le tronc d'un arbre, et composa de nouveau leurs numéros. Et encore. Et encore. *On leur a confisqué leur téléphone? Ils sont dans un fourgon de prisonniers en route pour Alcatraz? Ils…*

«Tu-du-dut! tu-du-dut! tu-du-dut!»

Le hurlement de la sirène d'une voiture de police à l'approche bloqua les pensées de Mélodie en cycle d'alarme. La rafle avait commencé.

« Tu-du-dut! tu-du-dut! tu-du-dut! »

Elle avait l'estomac dans la gorge. Ses bras tremblaient ; ses jambes se contractaient convulsivement, prêtes à la fuite.

« Tu-du-dut! tu-du-dut! tu-du-dut! »

Un 4 x 4 BMW vert sapin déboucha du coin de la rue en faisant crisser ses pneus. Le hurlement des sirènes enfla, mais toujours pas de fourgon de police à l'horizon.

—C'est moi! cria Candace pour se faire entendre malgré la sirène bramant à l'intérieur de sa voiture.

Quelques tresses fines parsemaient la masse de ses boucles blondes. Elle portait une minirobe bustier en mousseline de soie jaune, un collier en plumes de paon et des low boots à lanières bleu turquoise. Elle avait appliqué sur son corps une poudre scintillante aux reflets bronze et s'était aspergée d'assez de Black Orchid de Tom Ford, pour percer un second trou dans la couche d'ozone.

—Monte!

—Qu'est-ce que c'est que ce truc? lui hurla Mélodie, les mains sur les oreilles.

—Une sirène de police que j'ai téléchargée. En tant que chauffeur attitré des NUDIstes, je me suis dit que ça pourrait servir. Pas de souci pour les quatre-vingt-dix-neuf cents. C'est déductible des impôts.

—Très bien, mais est-ce que tu peux la faire taire? implora Mélodie en grimpant sur le siège passager. Il y a déjà assez de bruit dans ma tête en ce moment.

—Pas de problème. (Candace haussa les épaules.) La sirène, terminé.

Et elle redémarra en trombe.

CHAPITRE 25

SAUVÉE PAR LE GANG

Assise sur un trône pliant en bois et toile noire, Cléo porta son regard au-delà du dais blanc de la tente, éprouvant jusqu'au bout des ongles la sensation d'être une reine d'Égypte. Des abeilles ouvrières s'activaient frénétiquement autour d'elle, tiraient des câbles, nettoyaient les objectifs des appareils photo, s'efforçaient de rouler dans le sable des portants de vêtements.

À l'instar des femmes de lignée royale qui l'avaient précédée, Cléo contemplait les dunes dorées, goûtant la brise ambrée qui façonnait le sable telles les touches délicates du pinceau d'un peintre. C'était comme si Râ avait demandé au vent de créer cette beauté pour elle.

Autrefois, ces instants auraient été immortalisés sur des murs poussiéreux par des hiéroglyphes représentant des vautours stylisés, des pieds et des zigzags. Heureusement, les temps avaient changé. Dès que ses amies seraient arrivées,

Cléo serait photographiée par Kolin VanVerbeentengarden, sous les lumières de Tumas, et sa photo serait publiée dans *Teen Vogue*. Si seulement le magazine était distribué dans l'au-delà. Tante Néfertiti aurait été soufflée.

Après trois heures d'essayage de vêtements et de bijoux, deux heures entre les mains des maquilleurs et des coiffeurs, un voluptueux massage de pieds exfoliant aux sels de la mer Morte, suivi d'une pédicure et d'une manucure, Cléo était fin prête pour les gros plans. Ainsi que pour les plans moyens, les plans américains, les plans rapprochés, les très gros plans avec moues « je suis bien trop sexy pour ce dromadaire » et le bon plan de se faire un nom dans le monde ultraconcurrentiel de la création de bijoux. Ses croquis et ses prototypes étaient bien à l'abri dans le coffre-fort de la Bentley de Manu, attendant patiemment leur heure et la lumière des projecteurs. Et elle viendrait, leur heure, dès que Cléo aurait fait forte impression sur l'équipe éditoriale grâce à son professionnalisme et à son répertoire de poses parfaitement étudiées.

Une stagiaire émaciée grimpée sur un quad s'arrêta devant le dais de Cléo.

— Toujours pas de nouvelles ? s'enquit-elle.

Ses cheveux tirés en arrière étaient retenus par un foulard Gucci et une paire de lunettes de soleil blanches de la même marque pour faire bonne mesure. Un top vaporeux vert fluo flottait au-dessus de son jean tellement slim qu'il empêchait ses pores de respirer.

Hum. C'est qui le mannequin ici ?

—Jaydra ne veut plus attendre. On perd de la lumière. *Où sont-elles ?*

Cléo baissa les yeux vers l'écran de son téléphone. Le réseau était bon et elle avait de la batterie, mais pas de messages. Les perles de sa coiffe dorée s'entrechoquèrent pour ce qui serait sans doute la dernière fois si Clawdeen, Lagoona et Lala n'arrivaient pas très vite.

—Elles devraient être là depuis deux heures. Je ne comprends pas, réussit-elle à articuler d'une voix rauque malgré l'énorme boule de poils qu'elle avait l'impression d'avoir avalée. Elles ont peut-être eu un accident ?

—Dans ce cas, tu as trois minutes pour aller les ramasser sur la chaussée ou le *shooting* est annulé, répliqua sèchement la stagiaire.

Elle enfonça l'accélérateur d'un talon de liège compensé Yves Saint Laurent et s'éloigna en faisant vrombir le moteur de son véhicule tout-terrain.

Cléo pouvait toujours composer un énième message, mais à quoi bon ? Elle leur en avait déjà envoyé onze, sur tous les tons, sans obtenir une seule réponse. En temps normal, elle se serait interrogée sur la santé mentale de ses amies. Mais pas cette fois. Elles avaient communiqué par textos jusqu'ici, et elles comptaient les secondes qui les séparaient du moment où elles pourraient la rejoindre sur le lieu du *shooting*.

Après avoir vérifié que le film étirable dont on lui avait entortillé les pieds pour protéger sa pédicure tenait bien, Cléo se dandina sur les talons vers son sauveur au crâne chauve.

—Manu, gémit-elle en ravalant les larmes qui l'auraient renvoyée aussi sec dans la caravane du maquillage. Tu les as enfin trouvées ?

Il se tenait au fond de la tente en compagnie des quatre agents de sécurité chargés de la protection des bijoux. Manu consulta trois portables d'un coup d'œil puis releva ses yeux noirs en souriant.

—Elles viennent d'arriver.

—Geb soit loué !

Cléo le serra virtuellement dans ses bras, évitant le contact pour ne pas froisser son bustier de plumes.

—Il est toujours bon de louer Geb, en effet, répondit-il en lui retournant le geste.

—Rassemblement ! annonça Jaydra, la très redoutée rédactrice accessoires.

Elle bondit de l'arrière du quad de la stagiaire pour rassembler son équipe de choc. Ses cheveux courts peroxydés, sa peau blanche comme du yaourt et les énormes bagues tape-à-l'œil qu'elle portait à chaque doigt offrirent à Cléo une consolation qui fut la bienvenue. Le monde de la joaillerie n'était manifestement pas aussi concurrentiel qu'elle l'avait cru.

—Les filles sont arrivées, et elles sont somptueuses ! Elles n'auront besoin que d'une légère retouche maquillage et de passer à la garde-robe. On ajoutera le reste en postprod. On se bouge ! Le soleil est en train de sombrer. Il fera bientôt nuit.

Elle avait dit « somptueuses » ?

Cléo avait toujours su que Lagoona et Clawdeen avaient du chien. Un charme fou? À tous les coups. Mystérieuses et intrigantes? Absolument. Exotiques? À cent pour cent. Mais «sompueuses»? Selon les standards professionnels des normies? Hum, peut-être que le monde était prêt pour le changement après tout.

— Cléo!

Elle se retourna joyeusement. C'était la première fois de la journée qu'on l'appelait autrement que «l'Égyptienne».

C'était Mélodie Carver. Dans une robe de mousseline de soie en imprimé léopard.

Le monde entier est-il devenu fou?

— Qu'est-ce que tu fais ici? demanda-t-elle en jetant un coup d'œil par-dessus son épaule, s'attendant à voir les autres débouler derrière elle. (Elle ne vit qu'une blonde en robe jaune et talons hauts qui s'avançait d'une démarche chancelante sur le sable.) Où sont les filles?

— Tu croyais vraiment qu'elles allaient venir après ce que tu as fait? l'accusa Mélodie en plissant ses yeux gris.

— Pardon? s'exclama Cléo, les perles de sa coiffe dorée s'entrechoquant une fois de plus. On m'a dit qu'elles venaient d'arriver.

— On ne t'a pas dit la vérité, répliqua Mélodie en remontant une des bretelles spaghettis de sa robe sur son épaule.

— Aurais-tu l'obligeance de m'expliquer ce qui se passe? À commencer par la raison pour laquelle tu portes la copie d'une robe Roberto Cavalli.

La blonde fit un pas en avant.

—Un, ce n'est pas une copie, mais un modèle vintage de 1989. Deux, c'est toi qui nous dois des explications.

—Qui es-tu? questionna Cléo d'un ton tranchant en prenant soin de ne pas abîmer son brushing. Barbie Bottes-Bleues?

—C'est ma sœur, Candace, répondit Mélodie. Et nous sommes venues en tant que représentantes des NUDIstes pour savoir ce qui t'a pris de vouloir causer la perte de tes amis. De la part de Bekka, ça ne m'étonne pas, mais venant de toi? As-tu la moindre idée de ce que tu as fait? Tout le monde est…

—Waouh! Jaydra n'a pas menti, minauda un type fili-forme vêtu d'un slim rouge, d'un débardeur blanc avec un transfert de Toutankhamon et de trois écharpes en mousseline nouées autour du cou. Mon petit nom, c'est Joffree. Je n'en ai pas d'autre. Et vous êtes vraiment somptueuses, les filles. Je suis sûr que vous venez de Los Angeles. Vous faites toutes les deux du 34, je me trompe?

—Je fais du XXS pour les hanches et du L pour la poitrine, lança Candace avec un clin d'œil.

—Bougez pas. Je vais vous chercher quelques trucs. Je suis de retour en moins de temps qu'il en faut pour prononcer le mot scatophage.

—C'est « *sarcophage* », le corrigea Cléo pour la millionième fois au moins.

—*Sans déc, faut croire que je ramsec*, chantonna-t-il en se sauvant.

—Melly, tu ne m'avais pas dit qu'on était venues faire les mannequins! s'exclama Candace, tout sourires, en faisant un signe de la main au beau gosse qui avait l'air d'être le photographe.

—On n'est pas venues pour ça! répondit sèchement Mélodie. Nous sommes venues chercher la vérité.

—Quelle vérité? clama Cléo.

Tout allait si vite tout à coup. Des assistants qui s'agitaient dans tous les sens. Ses amies qui n'étaient pas là. Des normies somptueuses. Des accusations mensongères.

—Je le jure sur Geb, je ne sais pas de quoi tu parles.

—*RADicalement vôtre?* Les interviews en clair? Ne joue pas les innocentes.

—Je ne *joue* rien du tout! s'écria Cléo.

Elle avait désespérément besoin de remettre du gloss.

—Ils les ont diffusées! Les interviews en clair sont passées à l'antenne.

—Attends… *Quoi?* (Cléo se figea.) C'est impossible, poursuivit-elle, hystérique. J'étais là quand…

—Ha ha! (Mélodie tapa dans ses mains.) Tu vois que tu sais quelque chose.

—Je n'ai jamais voulu que ce film stupide passe à l'antenne, même avec les visages floutés. Je savais que c'était risqué. Alors en clair!

Cléo massa ses tempes palpitantes. Son cerveau essayait de revenir sur le déroulement des événements. Elle cherchait encore à comprendre pourquoi ses amies s'étaient désistées.

Elle se demandait comment une telle catastrophe avait pu arriver. Tous les RAD allaient être exposés!

La stagiaire arriva sur son quad, les mains en porte-voix, et se mit à hurler.

— Joffree! Jaydra veut les filles en tenue sur les dromadaires pour il y a huit minutes!

— Il fallait me dire ça il y a neuf minutes, alors! répliqua-t-il, piqué au vif, en faisant défiler des cintres sur un portant. OK, les filles, venez par là, les appela-t-il.

— On arrive! répondit Candace en se dirigeant de son pas chaloupé vers le portant.

— Arrête-toi! ordonna Mélodie. (Sa sœur s'immobilisa instantanément.) On n'est pas venues ici pour faire les mannequins.

— Si, la supplia Cléo dans un murmure. Je t'en prie, fais-le. S'il te plaît. Je te dirai tout ce que je sais. Je le jure sur la tête de Râ. (Elle leva son visage vers le soleil couchant.) Il faut qu'on fasse ces photos… Ce ne sera pas long. Je te donnerai même quelques échantillons de ma nouvelle collection de bijoux dès qu'ils auront vu le jour.

— C'est une promesse? demanda Mélodie.

— Croix de bois, croix de fer. Tu es plus du genre œil-de-tigre ou or massif?

— Non! Est-ce que tu promets de me dire tout ce que tu sais au sujet de cette émission?

— Je le jure sur les neuf vies de tous mes chats.

Pendant que les sœurs Carver s'habillaient, Cléo tenta de remettre en place toutes les pièces du puzzle. Le film était passé à l'antenne… en clair… Comment était-ce possible ? Elle ne voyait pas Brett jouer un mauvais tour à Frankie dans son dos. Il semblait trop honnête pour ce genre d'entourloupe. Même s'il était sorti avec Bekka, ce que Cléo avait toujours du mal à croire. Qu'est-ce qu'un garçon comme lui pouvait trouver à une fille comme… *Bonté divine ! Bekka !*

Mélodie sortit la première. Coiffée de la traditionnelle perruque brune à frange des Égyptiennes, on l'aurait crue déguisée en Cléo, l'arrogance en moins. Elle portait une robe sans manches au profond décolleté en V : plusieurs épaisseurs superposées de soie blanche aérienne rebrodées de fils d'or en Lurex prenaient le vent comme les voiles d'un navire dans la brise du petit matin. Ses yeux gris étaient lourdement surlignés de khôl bleu turquoise, encadrés de faux cils dorés. Même sans les bijoux, qu'on ne leur donnerait qu'au tout dernier moment pour des raisons de sécurité, elle évoquait le croisement parfait entre le chic égyptien et la beauté nubile de Babylone.

— Hé ! dit Cléo avec un demi-sourire. Tu es magnifique… pour une fois.

Mélodie lui sourit.

Enfin.

— Marc-Antoine, Marc-Antoine, pourquoi es-tu Marc-Antoine ? déclama Candace, scrutant l'intérieur de la tente, une main sur son cœur esseulé.

Elle portait la même perruque que sa sœur, mais sa robe était dorée, ses yeux soulignés de khôl noir et ses faux cils d'un jade sombre. Jaydra ne s'était pas trompée : les sœurs Carver étaient somptueuses, on ne pouvait pas dire le contraire. Mais Cléo leur était trop reconnaissante pour être jalouse. Et puis, *elle* n'avait pas besoin de perruque ! Et ce n'était pas rien.

—Venez avec moi.

La stagiaire leur fit traverser la tente en toute hâte sous les yeux admiratifs de toute l'équipe de Jaydra. Même sans ces regards, Cléo était certaine que leur trio était à la hauteur de *Vogue*.

—T'as intérêt à me dire ce que tu sais, laissa échapper Mélodie entre ses lèvres hyperglossées. Je suis tout à fait capable de rendre ma perruque et de rentrer chez moi, tu sais.

—Très bien.

En soupirant, Cléo lui avoua la vérité quant à ses intentions d'effacer le film. Ce qui lui paraissait complètement dément avec le recul. Elle avait du mal à croire qu'elle avait failli faire quelque chose de si méprisable rien que pour être *ici*, en compagnie d'une bande de normies dopés à la caféine et sous-alimentés qui l'avaient appelée « l'Égyptienne » toute la journée.

—D'après toi, tu n'as donc rien fait ? récapitula Mélodie.

—Ce n'était pas la peine. L'émission était annulée.

—Alors, comment…

—C'est Bekka, l'interrompit Cléo. Elle a dû pirater l'ordinateur de Brett après mon départ.

—Je t'avais bien dit de te méfier d'elle, dit Mélodie.

—Je n'avais pas confiance, répondit Cléo. Mais j'avais besoin d'elle. (Mélodie hocha lentement la tête, s'identifiant à elle au lieu de la juger.) Et maintenant, qu'est-ce qu'on fait?

—J'en sais rien. *On sourit?* répliqua Mélodie sur un ton sarcastique comme elles arrivaient dans le décor.

—Ouah! s'extasia Candace. J'ai l'impression d'être sur une de ces plages de sable en bouteille qu'ils vendent dans les magasins de souvenirs des aéroports.

Cléo gloussa. Candace avait raison. Ils avaient coloré le sable en rose, jaune et orange et lui avaient donné une inclinaison, comme si quelqu'un était en train de le verser. Trois dromadaires étaient agenouillés à l'endroit le plus bas, les pattes repliées sous eux, ruminant lentement et poussant des soupirs.

—Incroyable. C'est *exactement* ce que j'avais en tête, s'exclama un type musculeux portant un débardeur noir sur un pantalon de treillis, ses cheveux blonds noués en queue-de-cheval. Je suis Kolin VanVerbeentengarden. (Il tendit à Candace une main bronzée.) Mais la plupart des gens m'appellent simplement VanVerbeentengarden.

—Candace. Mais la plupart des gens m'appellent simplement Super-géniale.

Cléo et Mélodie s'esclaffèrent.

—J'ajouterai la bouteille et le bouchon en postprod, expliqua VanVerbeentengarden. Le concept: vous êtes trois reines de l'Égypte antique rejetées sur le rivage dans une bouteille et…

—Nous avons été envoyées en mission dans l'Amérique des temps modernes pour présenter les merveilles de notre joaillerie aux ados d'aujourd'hui? termina Candace.

—Précisément! s'exclama VanVerbeentengarden.

—Ouais, acquiesça Candace. Je vois très bien le truc.

—Et moi, je vois que nous sortirons ensemble après ce *shooting*.

Il lui fit un clin d'œil.

—À une condition, l'aguicha Candace.

—Laquelle?

—Que mes photos soient réussies.

Elle était très forte.

—De ce côté-là, je suis tranquille.

VanVerbeentengarden lui fit de nouveau un clin d'œil tandis qu'un de ses assistants lui installait son appareil photo en bandoulière comme une kalachnikov. Il se tourna ensuite vers un boîtier contenant des objectifs.

Au-dessus de leurs têtes scintillait une voûte parsemée de spots en forme d'étoiles qui jetaient une lumière magique sur le sable chatoyant. C'était parfait. Les bijoux de tante Néfertiti allaient adorer.

—Je n'aurais jamais deviné que ce décor représentait l'intérieur d'une bouteille, admit Cléo.

—Moi non plus, reconnut Mélodie.

—Moi non plus, dit Candace. Je l'ai lu sur le conducteur de Joffree.

Cléo éclata de rire.

Mélodie se contenta de lever les yeux au ciel, de son air « c'est bien du Candace tout craché ».

—Allez, les filles, on va vous installer sur les dromadaires, dit la stagiaire.

Les sœurs Carver échangèrent des regards nerveux. Cléo était sereine. Elle était déjà montée sur un dromadaire à la ferme pédagogique de Zanzibar quand elle avait sept ans. D'après ses souvenirs, c'était comme de monter sur un cheval lent et bossu, ce qu'elle avait également fait dans le même zoo.

—Ne quittez pas la piste pour ne pas abîmer le sable. Chaque animal porte son nom et celui de sa cavalière sur une étiquette collée sur sa bosse. Positionnez-vous à côté de votre monture et attendez l'arrivée du chamelier, qui vous expliquera comment l'enfourcher.

—Comme disait l'autre, gloussa Cléo.

—Excellent.

Candace lui tapa dans la main.

Plus elles s'approchaient des animaux, plus des relents de foin humide et d'excrément de chat assaillaient leurs narines.

Candace fit la grimace.

—Beurk! Ça vient d'où, cette odeur?

—Ils refoulent du goulot dans le cul de la bouteille? dit Mélodie en rigolant.

—Le mien doit être malade, dit Cléo. (Elle se pinça le nez et s'approcha pour lire le nom de sa monture sur l'étiquette.)

T'en fais pas, Niles, le cajola-t-elle en sortant un petit atomiseur de son décolleté. On va t'arranger ça.

Elle fit le tour de l'animal en vaporisant du parfum à l'ambre dans l'air nauséabond. Le camélidé éternua. Elle ne s'arrêta pas. Il éternua encore. Elle vaporisa de plus belle.

—Tu m'en passes un peu? demanda Candace.

Cléo lui tendit son parfum.

—Salut, Humphrey. C'est que tu n'es plus entre garçons. (Candace l'aspergea de parfum.) Il y a des mannequins ici. Tu dois te mettre sur ton N° 5.

Elle fit ensuite passer le flacon à Mélodie. Dès le premier «pschitt», Louxor éternua, se dressa sur ses pattes d'un mouvement de balancier et décampa sans demander son reste. Niles et Humphrey lui emboîtèrent le pas.

Les filles durent s'écarter précipitamment.

—Merde! où est le chamelier? s'époumona Jaydra devant la débandade des bêtes qui éternuaient et piétinaient le décor de sable coloré. Où est-il passé?

—C'est une *chamelière*! répondit une brunette trapue vêtue d'une tenue de cow-boy et de gants noirs. Que se passe-t-il?

—Mon décor! gémit VanVerbeentengarden. Fais quelque chose, chamelière!

—Mon nom, c'est *Kora*! dit-elle en prenant le lasso qu'elle portait accroché à sa salopette. Ma parole, un type qui s'appelle VanVerbeentengarden pourrait faire l'effort de se souvenir de *Kora*, non?

—Contente-toi de ramener ces bestiaux. On perd de la…

—Ouais, on va finir par le savoir, dit-elle en sautant sur un quad. Y a pas que la lumière que tu perds.

Elle mit les gaz et fila vers ses bêtes. Mais le bruit du moteur ne fit qu'effrayer davantage les dromadaires.

Cléo et Candace se serraient dans les bras l'une de l'autre pour se protéger du sable, mais elles refusèrent de venir se réfugier sous la tente comme le reste de l'équipe paniquée. Tout ça était beaucoup trop amusant.

—Qu'est-ce que tu attends pour prendre des photos, VanVerbeentengarden ? s'égosilla Jaydra. Je ne te paie pas pour regarder passer les caravanes.

—Qu'est-ce que tu veux que je shoote ? répliqua VanVerbeentengarden sur le même ton. Je n'ai pas de mannequins, pas de bijoux et plus de lumière.

—Alors t'as plus qu'à m'arranger le portrait ! s'énerva Jaydra, en mettant dans sa bouche deux doigts en forme de canon de pistolet.

—Ça m'a démangé toute la journée, répondit-il, prenant la mouche.

—Qui veut de l'avoine ? appela Kora en tendant au passage des poignées de foin aux camélidés, son moteur vrombissant à côté d'eux. Qui veut de la bonne avoine ? poursuivit-elle en arrondissant son lasso, prête à le lancer.

Mais les dromadaires ne sont pas bêtes à se laisser facilement soudoyer par de la nourriture… ce qu'une chamelière aurait dû savoir.

—Niles, Humphrey, Louxor? appela une voix depuis le haut de la dune aux couleurs arc-en-ciel. Niles, Humphrey, Louxor?

La voix avait un timbre musical : pure, claire, angélique.

—Melly? hoqueta Candace à la vue de sa sœur, auréolée d'une exquise lumière par le soleil couchant, ses voiles blancs et vaporeux ondulant autour d'elle. Elle avait la présence d'une déesse.

—Niles, Humphrey, Louxor? entonna Mélodie.

Jaydra et VanVerbeentengarden se turent.

La voix de Mélodie ne ressemblait à rien que Cléo ait jamais entendu en ce monde, mais de tels organes devaient être monnaie courante dans l'au-delà.

—Nilessss, Humphreyyyy, Louxorrrr? modula Mélodie.

Le reste de l'équipe cessa de s'agiter. Même Candace se tint tranquille.

—Nilesss, Humphreyyyy, Louxorrrr.

La mélopée irrésistible était comme de la soie enveloppant les dunes qui s'assombrissaient. Si Clawdeen avait été là, elle se serait roulée sur le dos en signe de soumission.

Kora coupa le moteur de son quad.

—Nilessss, Humphreyyyy, Louxorrrr, tout va bien. Nilessss, Humphreyyyy, Louxorrrr, tout va bien. Reveneeeeez. (Les dromadaires interrompirent leur course, leurs éternuements, leurs blatèrements et leurs ruades.) Nilessss, Humphreyyyy, Louxorrrr, revenez.

Un par un, ils lui obéirent.

Kora se précipita à leur rencontre, leur passa une bride autour du cou et les ramena dans leurs fourgons.

— C'est foutu. On remballe! glapit Jaydra en donnant un coup de pied dans un ballot d'avoine.

Elle s'éloigna à grandes enjambées, et son expression disait clairement : « Tu repasseras pour que je jette même un coup d'œil aux croquis de ta collection. » Cléo ne pouvait pas lui en vouloir. La séance photo avait été catastrophique. Mais pas inintéressante.

Mélodie dévala la dune pour les rejoindre, sans paraître décontenancée par sa performance époustouflante.

— Comment tu as fait ça? lui demanda Cléo avec un respect mêlé d'admiration.

Toute l'équipe arriva en courant, désireux de voir de plus près la fille à la voix d'or. Mais ils semblaient impressionnés et mal à l'aise au fur et à mesure qu'ils approchaient, ne sachant s'ils devaient la remercier ou se prosterner. La plupart passèrent donc leur chemin sans s'arrêter.

— On dirait que tu as retrouvé ta voix! s'écria Candace en serrant sa sœur dans ses bras.

Lorsqu'elles se séparèrent, leurs perruques ébouriffées étaient de guingois sur leur tête.

— C'est dingue, hein? (Mélodie haussa ses sourcils sombres.) Je voulais juste les appeler. Je ne savais pas ce qui allait sortir. C'était plutôt mélodieux, non?

—Il faut que j'appelle les parents. Ils vont sauter au plafond, dit Candace en s'éloignant en toute hâte vers une table couverte de matériel de photographie.

—Pourquoi tu vas par là pour les appeler ? s'étonna Mélodie.

—Parce que, tout de suite après, je veux demander à VanVerbeentengarden s'il fait les portraits d'annuaire pour l'université, admit Candace avec un petit sourire coupable.

Mélodie gloussa.

—On peut se rhabiller ? Ma capuche commence à me manquer.

Cléo hocha la tête. Elle était prête à tout ce que voulait Mélodie après ce qu'elle venait de voir. Mélonase murmurait à l'oreille des chameaux ! Cléo était impatiente de se réconcilier avec Deuce pour tout lui raconter.

—Fabuleux ! la félicita Manu quand les filles entrèrent dans la tente. (Ses yeux étaient embués de larmes.) C'était absolument fabuleux.

—Merci, répondit timidement Mélodie.

—Est-ce que ta mère est ici ? demanda-t-il.

—Non, je suis venue avec ma sœur.

—Dommage, soupira-t-il comme à l'évocation d'un agréable souvenir. Tu diras à Marina que Manu lui passe le bonjour. Ça fait bien trop longtemps. (Un sourire ému s'attarda un instant sur ses lèvres, puis il se tourna vers Cléo.) Je vais remballer les bijoux. On se retrouve à la voiture.

—Vous devez me confondre avec quelqu'un d'autre, lui dit Mélodie.

— Aucun risque, répondit Manu, goguenard. Cette voix est reconnaissable entre toutes. Tu as la même que ta mère. Marina pouvait obtenir n'importe quoi de n'importe qui. Elle était vraiment irrésistible.

— Désolée, mais ma mère s'appelle Glory. Glory Carver. Elle vient de Californie.

— Tu en es sûre ?

— Manu, évidemment qu'elle en est sûre, intervint brusquement Cléo. Elle sait quand même qui est sa mère. (Il dévisagea Mélodie avec une intensité qui aurait fait royalement froid dans le dos de Cléo si elle ne le connaissait pas si bien.) Manu !

Il secoua la tête.

— Tu as raison. Je t'ai confondue avec quelqu'un d'autre. (Mélodie lui sourit pour lui montrer qu'elle ne lui en voulait pas.) Je me souviens qu'on m'avait dit que la fille de Marina avait un nez inoubliable. À deux bosses, comme les chameaux, gloussa-t-il. Le tien est parfaitement rectiligne. Je me suis trompé. Désolé.

Il lui tourna le dos et s'éloigna.

— Je suis désolée moi aussi, dit Cléo à Mélodie. Il n'est pas si bizarre d'habitude. (Mélodie ne répondit rien.) Oh ! et je suis aussi désolée de ne pas t'avoir fait confiance. (Elle gloussa.) Tu me pardonnes ? (Mélodie regardait droit devant elle, les yeux dans le vide.) Je promets de ne plus t'appeler Mélonase. (Cléo battit des cils d'un air mutin.) Hé ! lança-t-elle. Tu m'écoutes ?

Mélodie demeurait silencieuse. Elle restait plantée là, regardant s'éloigner les dromadaires, une main sur son nez.

Si Cléo n'avait pas été si pressée de se réconcilier avec ses amies et de laisser toutes ces épreuves derrière elle, elle aurait sans doute demandé à sa nouvelle recrue ce qui allait de travers. Mais elle préféra bondir dans sa limousine pour rentrer au plus vite à Salem. Elle ne s'était absentée que quelques heures, mais elle avait l'impression de rentrer au bercail après un long voyage.

CHAPITRE 26

Aⁿxio-gènes

— NUDIstes au rapport, mission accomplie !

Candace extirpa la voiture du parking obscur et leva une main dans laquelle elle espérait que sa sœur vienne taper pour célébrer leur réussite.

— Mains sur le volant, commanda Mélodie.

Candace obtempéra.

— OK, mais tu avoueras que *toute* cette histoire était réellement fabuleuse à tous les niveaux du possible !

« Ping ! »

À : MÉLODIE

14/10, 20 h 19

MAMAN : CANDACE DIT QUE TU AS RETROUVÉ TA VOIX !!! IL ME TARDE DE L'ENTENDRE. JTM !

Mélodie fourra son téléphone au fond de la poche ventrale de sa veste à capuche sans répondre.

—Candi? Est-ce que mon ancien nez ressemblait aux deux bosses d'un chameau? demanda-t-elle, les yeux rivés sur son reflet dans le rétroviseur extérieur.

—Ouais, on peut dire ça, gloussa Candace. À propos de chameaux, tu savais que les dromadaires couraient si vite? Pas moi. Imagine s'ils s'étaient emballés avec nous sur le dos? C'est pas cette chamelière qui aurait pu nous sauver, c'est un fait. Elle était trop flippée. Je crois même que cette odeur venait d'elle et pas d'Humphrey.

» Dommage que VanVerbeentengarden n'ait pris aucune photo. Il a dit qu'il ne voulait pas mettre du sable sur son objectif, et je suppose que c'est pas plus mal, puisqu'il a accepté de me tirer le portrait pour l'annuaire de l'université au printemps. Hé! pourquoi on ne le prendrait pas comme photographe officiel des NUDIstes? Il nous accompagnerait en mission et ferait des reportages de nos combats.

» Dommage qu'il ne t'ait pas photographiée en train de tirer les vers du nez de Cléo. J'adore cette fille et tout, vraiment, mais tu crois qu'elle avait sérieusement l'intention d'effacer le film? Rien que pour obliger ses copines à faire cette séance photo? Bon sang, même moi, je ne ferais jamais un truc pareil! Et ce Joffree? Tu crois vraiment qu'il n'a pas d'autre nom? (Elle s'interrompit une nanoseconde.)

» Dommage que VanVerbeentengarden n'ait pas…

Mélodie s'efforçait de hocher la tête quand il le fallait. D'acquiescer quand Candace formulait une opinion. De sourire lorsqu'elle évoquait les bons moments. Mais elle ne percevait qu'un long brouhaha indistinct. Elle songea à demander à Candace si elle avait déjà entendu parler d'une certaine Marina, une femme à la voix si irrésistible qu'elle «pouvait obtenir n'importe quoi de n'importe qui.» Mais Manu s'était sûrement trompé. Cette Marina était peut-être une tante éloignée, ou sa vieille nourrice, ou bien la mère d'une autre fille avec un nez à deux bosses comme celles d'un chameau et une voix enchanteresse. Parce que sa mère à elle était Glory Carver, de cela elle était sûre et certaine… jusqu'à ce jour.

—Bon, alors j'ai ma petite théorie sur Jaydra. Pour commencer, elle s'appelle sûrement Jane Drake ou un truc bien banal. Notre Jane Drake n'a jamais eu de style jusqu'au jour où elle décroche un job dans une boutique de fringues, sûrement par piston. Pas une boutique branchée pointue, genre Colette ou Isabel Marant. Un truc branché à son niveau, genre Twenty8Twelve ou Asos.

»Au bout de quelques mois, ils lui font des prix et elle s'achète quelques fringues. D'abord en copiant les autres vendeuses, plus branchées qu'elle, et puis un jour, à l'heure du déjeuner, à la cafète, quelqu'un lui fait des compliments sur sa tenue. Son univers bascule. Elle change de nom la même nuit. Jane Drake devient Jaydra et…

Mélodie soupira. Elle aurait bien voulu ne jamais avoir croisé la route de Manu. Elle avait gagné le respect de Cléo. Les RAD ne seraient plus divisés. Les RAD et les NUDIstes marcheraient côte à côte comme une force unifiée. Ils en auraient besoin, aujourd'hui plus que jamais. Elle avait obtenu tout ce pour quoi elle s'était battue.

Sauf la vérité.

Ne manquez pas
le 3ᵉ tome

Sortie : automne 2011

AUBIN IMPRIMEUR

Achevé d'imprimer en mai 2011
N° d'impression L 74504
Dépôt légal, mai 2011
Imprimé en France
36231019-1